Paroles du jour J

EN COÉDITION AVEC RADIO FRANCE
OUVRAGE DE JEAN-PIERRE GUÉNO

Paroles de Poilus
Lettres du front (1914-1918)
(Librio n° 245)

Paroles de détenus
(Librio n° 409)

Mémoire de maîtres, paroles d'élèves
(Librio n° 492)

Paroles d'étoiles
Mémoire d'enfants cachés (1939-1945)
(Librio n° 549)

Premières fois
Le livre des instants qui ont changé nos vies
(Librio n° 612)

Paroles du jour J

Lettres et carnets
du Débarquement, été 1944

Jean-Pierre Guéno

Librio

Inédit

Introduction

La guerre n'est pas une histoire d'hommes ; la guerre est une histoire d'adolescents... Prenez une classe de première ou de terminale dans un lycée de votre région : affublez ses élèves d'un assortiment de casques, de calots, de képis, de bérets ; vous obtiendrez de parfaits soldats. Vous pourrez prendre le genre de photographie que les gouvernements ne montrent jamais, de peur d'effrayer les mères... Ce sont toujours les moins de 20 ans qui payent le plus lourd tribut dans les guerres... Les yeux qui vous fixent sur la couverture de ce livre sont ceux d'un garçon de 17 ans, qui s'appelait Robert Boulanger et qui s'engagea, puis quitta son Québec natal contre la volonté de ses parents pour venir libérer la vieille Europe... Il venait d'avoir 18 ans lorsqu'il fut foudroyé par une balle allemande reçue en plein front le 12 août 1942, sur la plage de Dieppe, lors d'une tragique avant-première du débarquement. Franz Gockel, le soldat allemand qui tenait la plage d'Omaha Beach sous le feu de sa mitrailleuse le 6 juin 1944, venait lui aussi de fêter son dix-huitième anniversaire... Il revient chaque année en France depuis soixante ans pour exorciser peut-être les fantômes des centaines de jeunes GI's de son âge que son métier de soldat l'obligea à faucher sous les rafales de son arme, et pour cultiver le souvenir de ses camarades presque tous enterrés au cimetière de La Cambe...

Il y eut bien sûr « le jour le plus long ».

Mais le débarquement ne se résume pas au jour J : avant, il y a eu quatre années de conflit mondial. En France, quatre années de souffrances. De collaboration. De résistance. De disette. De marché noir. De magouilles et de débrouille. L'imbrication complexe de l'indifférence et de la solidarité, de l'antisémitisme et du catholicisme, du courage et de la lâcheté, de la résignation et de la rébellion, de la fange et du ciel... Avant il y a eu des tentatives, des répétitions heureuses ou malheureuses : les raids de 1940 et de 1941, le débarquement de Dieppe et le débarquement d'Afrique du Nord en 1942, les raids éclairs des commandos alliés, puis les débarquements de Sicile et d'Italie en 1943 et enfin l'opération Tigre en avril 1944...

Pour que le débarquement puisse avoir lieu, il y eut l'incroyable courage, l'incroyable esprit de résistance et d'abnégation du peuple britannique sous les bombes du Blitz qui firent 60 000 morts et 240 000 blessés dans les villes anglaises et signifièrent la destruction de deux millions de logements.

Avant même la nuit du 5 au 6 juin 1944, avant même que ne sautent les parachutistes et que ne débarquent les soldats, avant même que les réseaux de résistants ne leur préparent le terrain, les opérations préparatoires avaient déjà fait 12 000 tués, blessés ou disparus parmi ces jeunes hommes venus d'outre-Atlantique et d'outre-Manche libérer un continent vieillissant d'où leur famille avait bien souvent émigré quelques décennies plus tôt...

Et puis, après le 6 juin, il y eut tous les autres jours de l'été 1944... : 156 000 hommes avaient franchi la Manche le soir du débarquement... 1 850 000 allaient suivre, soit douze fois plus, pendant les cent jours que durerait la bataille de Normandie ; un souvenir baptisé « Stalingrad » par des vétérans russes et allemands qui savaient de quoi ils parlaient... Une campagne épouvantable qui ferait plus de 340 000 blessés, près de 130 000 tués en deux mois, chez les soldats, et plus de 20 000 morts chez les Normands ; une guerre de haies, de tranchées, de duels d'artillerie et de blindés, une guerre de *snipers* et de tapis de bombes...

Par comparaison, si l'on excepte la plage d'Omaha la Sanglante, le jour J fit moins de victimes que prévu. Au soir du 6 juin 1944, le débarquement avait fait à peu près 7 000 morts ou disparus dans le camp des Alliés, près de 9 000 dans le camp des Allemands, soit presque 10 % du total des pertes accumulées entre le débarquement et la fin de la bataille de Normandie...

Ce livre est dédié à Robert, à Franz, à Maurice, à Jack, à Helmut, à Rémy, à Charles, à Mildred, à James, à Joseph, à Iris, à Ernie, à Jackie et à leurs mères. Ce livre est dédié aux hommes mûrs qui dirent non au nazisme. Ce livre est dédié à tous ceux qui auraient eu 20 ans après la disparition de Hitler et qui, en nous offrant leur vie, ne profitèrent jamais de la liberté qu'ils rendirent aux enfants et aux petits-enfants de leurs ancêtres de la « vieille Europe ».

Jean-Pierre G<small>UÉNO</small>

Les textes anglais et américains ont été traduits par Jean-Pierre Guéno.

Note : Chaque témoignage est signé du nom du témoin et est suivi d'un pictogramme précisant sa nationalité :

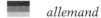 *allemand*

américain

anglais

canadien

français

Semailles

Mai 1940 – mai 1944

Les hommes de la vieille Europe avaient semé le vent à l'orée du siècle... Ils avaient déclenché la tempête d'une guerre dont personne n'arriverait jamais à trouver la raison logique. Ils avaient enfoui par millions dans la terre grasse de leurs plaines et de leurs vallées les corps meurtris de leurs enfants. Et puis quand était venu le dernier automne de cette grande boucherie, après que les tranchées se furent tues, peut-être pour apaiser la douleur des veuves et des orphelins, il avait bien fallu désigner un responsable... L'Allemagne avait été mise au ban des nations ; elle avait été mise en demeure d'avoir à payer à elle seule le prix du drame qui venait de déchirer les enfants lointains de Charlemagne... Le camp des vainqueurs allait humilier le camp des vaincus. La guerre allait continuer, migrant de la glaise des tranchées vers celle de l'économie... La haine allait continuer à faire germer la haine. Dans les soubresauts de la grande crise, un peuple allait achever de perdre son honneur et sa dignité, jusqu'à ce degré du désespoir et de la misère où les foules égarées pensent n'avoir plus rien à perdre.

Jusqu'à ce que vienne Adolf Hitler.

Il allait faire fleurir les croix gammées, les défilés militaires, les bras tendus, les charniers, les rafles, les étoiles jaunes, les barbelés et les miradors...

Mais ça et là parmi les foules dociles et résignées, parmi les populations indifférentes ou domptées, il allait y avoir des fortes têtes, des rebelles, qui n'avaient pas oublié la vieille Europe et son siècle des Lumières, ou plus simplement des jeunes hommes pauvres ou désœuvrés en quête d'aventures et de fin d'adolescence... Certains allaient venir d'outre-Atlantique, ou de l'autre bout du monde. D'autres allaient tenir sous les bombes de l'autre côté de la Manche... D'autres enfin allaient s'arracher au pays de leur enfance pour mieux le défendre. La plupart allaient payer le prix fort pour avoir le droit d'offrir leur vie, comme un gage à la liberté des nations, sur les mers, dans les airs, sur des plages ou dans les chemins creux du Bocage normand.

Ce que je peux dire à cette assemblée, c'est ce que j'ai déjà dit à ceux qui ont rejoint mon gouvernement : « Je n'ai à offrir que du sang, de la peine, des larmes et de la sueur !... » Nous avons devant nous l'une des plus épouvantables épreuves que l'on puisse imaginer. Nous avons devant nous de longs, de très longs mois de combat et de souffrance. Vous me demandez en quoi consiste ma politique ? Je peux vous le dire : faire la guerre sur la mer, sur la terre et dans les airs, avec toute la puissance, la force que Dieu peut nous donner ; engager le combat contre une monstrueuse tyrannie, sans égale dans les sombres et désolantes annales du crime. Voilà notre politique. Vous demandez, quel est notre but ? Je peux répondre en un mot : la victoire, la victoire à tout prix, la victoire en dépit de la terreur, la victoire, quelles que soient la longueur et la dureté, si long et dur que soit le chemin qui nous y mènera ; sans victoire, il n'y a pas de survie.

Sir Winston Churchill,
Chambre des communes, 13 mai 1940 🇬🇧

* *

Nous nous battrons en France. Nous nous battrons sur les mers et les océans. Nous nous battrons avec une confiance croissante et une force croissante dans les airs. Nous défendrons notre île, quel qu'en soit le prix. Nous nous battrons sur les plages. Nous nous battrons sur les terrains de débarquement. Nous nous battrons dans les champs, et dans les rues, nous nous battrons dans les montagnes. Nous ne nous rendrons jamais !

Sir Winston Churchill, BBC, 4 juin 1940 🇬🇧

* *

L'espérance doit-elle disparaître ? La défaite est-elle définitive ? Non ! Croyez-moi, moi qui vous parle en connaissance de cause et vous dis que rien n'est perdu pour la France. Les mêmes moyens qui nous ont vaincus peuvent faire venir un jour la victoire. Car la France n'est pas seule ! Elle n'est pas seule ! Elle n'est pas seule ! Elle a un vaste Empire derrière elle. Elle peut faire bloc avec l'Empire britannique qui tient la mer et continue la lutte. Elle peut, comme l'Angleterre, utiliser sans limites l'immense industrie des États-Unis.

Général de Gaulle, BBC, 18 juin 1940 ▌▌

* *

La guerre totale, on le sait, c'est une attaque générale sur tous les fronts et par tous les moyens, si diaboliques soient-ils. C'est la guerre contre les hommes, les femmes et les enfants. Pour affronter la guerre totale, il n'y a qu'un seul moyen, c'est l'effort total – effort non pas seulement d'une journée, d'une semaine ou d'un mois, mais l'effort soutenu de tous les jours jusqu'à la victoire.

William Lyon Mackenzie King,
Premier ministre du Canada,
discours à la radio le 2 février 1941 ▌✦▌

* *

Maurice Chauvet a 22 ans lorsqu'il est démobilisé en 1940. Décidant de suivre l'exemple de son frère qui a rejoint la France libre, l'étudiant en architecture va mettre 880 jours à rejoindre l'Angleterre au prix d'une incroyable galère qui va lui faire passer dix-huit mois dans le camp de concentration de Miranda de Ebro, en Espagne.

Après un long trajet en chemin de fer, menottes aux poignets, je fais une entrée discrète au camp de concentration de Miranda de Ebro. La région est glaciale, couverte de neige et balayée sans cesse par les vents. Vêtu trop légèrement, je transporte durant trois jours de la terre et des pierres dans de petits sacs destinés à boucher les trous des allées du camp. Je suis déjà épuisé et le froid achève de m'abattre. Je retourne à l'infirmerie où je vais rester durant tout le mois de décembre. Pour moi, Noël et le jour de l'an sont sinistres. Je suis malade et ma situation semble sans espoir.

À peine rétabli, je fais connaissance avec mon nouveau lieu d'incarcération : un camp de concentration construit, paraît-il, sur les plans fournis par des conseillers allemands, spécialistes en la matière. Miranda est situé à 650 mètres d'altitude, au cœur d'un vaste plateau entouré de montagnes.

[Sur ma route vers la France libre,] je vais passer un peu plus de quinze mois dans ce sinistre décor. Les deux premiers mois sont terriblement difficiles. J'ai pour seuls vêtements des haillons militaires espagnols touchés durant mon passage à l'unité des travailleurs et toute toilette est presque impossible, l'eau des petits robinets étant souvent gelée. Lentement, je me transforme en parfait clochard...

Maurice Chauvet,
Long way to Normandy, Picollec, 2004 ▌▌

* *

En août 1942, le raid de Dieppe préfigure le débarquement de juin 1944... L'opération tourne au désastre ; elle fait 1 500 morts, 1 500 prisonniers et 1 200 blessés. L'équivalent d'Omaha Beach deux ans plus tard... Robert Boulanger est issu d'une famille québécoise de dix enfants. Son père est cheminot. Il est le plus jeune soldat de son bataillon... Il va être tué d'une balle reçue en plein front en débarquant sur la plage de Dieppe...

17-18-19 août 1942

Chers papa et maman,

Il y a quelques minutes, nous avons été rassemblés, pour aller nous battre. Même si j'ai crié « Hourra » comme les autres du peloton, je ne me sens pas très brave, mais, soyez assurés que je ne serai jamais une cause de déshonneur pour le nom de la famille.

Dans l'endroit où nous sommes, en ce moment, notre colonel, Dollard Ménard, nous a annoncé l'endroit où nous irons attaquer l'ennemi.

Notre aumônier, Padre Sabourin, rassemble tous ceux qui veulent recevoir l'absolution générale, ainsi que la sainte communion. Presque tous répondent à l'appel. Je veux être en paix avec Dieu, au cas où quelque chose m'arrive. Nous sommes invités à participer à un somptueux repas. Nous sommes servis par les membres féminins auxiliaires de la Marine royale. Les tables sont recouvertes de nappes blanches et chacun a son couvert complet. Il y a bien longtemps que nous avons été traités de la sorte par le Service militaire. Je continue ma lettre à bord de notre péniche d'assaut. Nous sommes chanceux, car la mer est très calme, le temps est au beau. L'engagement avec l'ennemi prendra place vers 5 h 30. Certains racontent des blagues ; on devine la tension qui existe ; je la ressens moi-même.

La lune nous éclaire suffisamment pour que je puisse continuer. Il y a deux heures et demie que nous naviguons, et je dois faire vite avant la nuit noire. J'en profite pour vous demander pardon pour toute la peine que j'ai pu vous causer, surtout lors de mon enrôlement. Si je reviens vivant de cette aventure, et si je retourne à la maison, à la fin de la guerre, je ferai tout ce que je pourrai pour sécher tes larmes, maman, je ferai tout en mon pouvoir afin de vous faire oublier toutes les angoisses dont je suis la cause.

J'espère que vous aurez reçu ma lettre de la semaine passée ; j'ai célébré mon 18e anniversaire de naissance le 13, et je sais que je n'ai pas raison d'aller combattre. Mais lorsque vous apprendrez avec quelle bravoure je me serai battu, vous me pardonnerez toutes les peines que je vous aurai causées.

L'aurore pointe déjà à l'horizon. Mais durant la nuit, j'ai récité toutes les prières que vous m'avez enseignées, et avec plus de ferveur qu'à l'habitude.

Il y a quelques minutes, j'ai cru que nous étions déjà entrés en action avec les Allemands. Là-bas sur notre gauche, le grondement de canons avec le ciel qui était éclairé nous l'a fait croire. Il fait beaucoup plus clair maintenant, et je peux mieux voir ce que j'écris, j'espère que vous pourrez me lire. L'on nous avertit que nous sommes très près de la côte française. Je le crois, car nous entendons la canonnade ainsi que les bruits des explosions, même le sifflement des obus passant au-dessus de nos têtes. Je réalise enfin que nous ne sommes plus à l'exercice. Une péniche d'assaut directement à côté de la nôtre vient d'être atteinte, et elle s'est désintégrée avec tous ceux qui étaient à son bord. Nous n'avons pas eu le temps de voir grand-chose, car en l'espace d'une ou deux minutes, il n'y avait plus rien. Ô mon Dieu, protégez-nous d'un pareil sort ! Tant de camarades et amis qui étaient là voilà deux minutes sont disparus pour toujours. C'est horrible. D'autres embarcations de notre groupe ainsi que d'autres groupes ont été touchés, et ont subi le même sort. Si je devais être parmi les victimes, Jacques vous apprendra ce qui m'est arrivé, car nous avons fait la promesse de le faire, pour l'un ou l'autre, au cas ou l'un de nous ne reviendrait pas. Je vous aime bien, et dites à mes frères et sœurs que je les aime bien aussi du cœur.

Robert Boulanger 🍁

* *

Le lycéen Gwenn-Aël Bolloré a 14 ans lorsqu'il ressent l'occupation comme une gifle... Le 6 mars 1943, à 17 ans, il s'embarque pour l'Angleterre, et s'engage sous le nom de Bollinger dans les Forces françaises libres. Il débarquera le 6 juin 1944 sur la plage d'Ouistreham avec les 177 Français du commando Kieffer...

Londres, c'est d'abord le camp de Patriotic School. Tous les émigrants, quelle que soit leur origine, passent par ce vieux collège aux murs vénérables. Il accueille, en transit, des Polonais, des Belges, des Français, des Russes, des Asiates, des Africains, des apatrides. Là, nous sommes interrogés et auscultés avec le plus grand soin. Des officiers de l'Intelligence Service nous posent, à tour de rôle, indéfiniment, les mêmes questions. Ils s'exercent à nous faire tomber dans des pièges, s'efforçant de provoquer des contradictions. Des détails sont communiqués aux réseaux de la France occupée, pour vérification. Certains restent dans ce camp quelques jours ; d'autres y demeurent des mois. Il advient que l'un des internés se suicide. C'est un espion sur le point de se faire découvrir. Ou bien une patrouille vient cueillir un suspect pour l'acheminer vers une destination inconnue.

Gwenn-Aël Bolloré, *J'ai débarqué le 6 juin 1944*,
Le Cherche-Midi Éditeur, 1994 🇫🇷

* *

Rémy Dreyfus a 20 ans en 1939. Chassé de l'armée de l'armistice le 30 août 1941 car il est juif, Rémi rejoint Londres le 5 mai 1942. Il est aussitôt versé dans les SAS (Special Air Service). La veille du débarquement, les Anglais ont besoin d'officiers de liaison français dans leurs unités : Rémy sautera le 5 juin 1944 à 5 heures du matin dans un des trois cents planeurs de la 6ᵉ Airborne...

London, mars 1943

Chère Catherine,

Comme toutes les perm', celle-ci a passé comme l'éclair. Mais me voici maintenant à m'entraîner au parachute. C'est rien du tout ; ou plutôt c'est éreintant de faire de la culture physique de 9 a.m. à 5 p.m. mais j'ai une vie superbe. Je suis chez l'habitant dans une chambre superbe. Je n'ai ni à commander ni à obéir si ce n'est au moniteur. Et le soir à 5 heures je me couche rompu avec un bon livre... Le village où je suis ressemble à Loctudy moins les crêpes et le cidre plus un soleil déjà très nordique qui patine les gris de la campagne. Et voilà. Je t'écrirai mes sensations à mon premier saut. Un des avantages du parachutisme est de me sortir de mon camp militaire. C'est déjà beaucoup.

Je t'embrasse tendrement

Rémy Dreyfus ▊▊

* *

Mai 1943

Le saut d'avion, comme prévu, tient plus du sport violent que de la douceur d'un divan jonché de femmes... Mais c'est vraiment superbe. Dieu merci, je n'ai pas le réflexe de fermer les yeux, et je profite donc bien du spectacle. Au premier saut ce matin bon départ mais [mot censuré]. Comme prévu j'ai de suite trouvé le moyen de les dérouler. Cet après-midi en saut par cinq je suis parti cinquième et j'ai eu dès le départ la vision optimiste de quatre parachutes ouverts devant moi. Quant au bruit du parachute qui s'ouvre c'est décidément celui d'un millier de danseuses valsant ensemble et froissant l'une contre l'autre de lourdes jupes de taffetas...

Rémy Dreyfus ▊▊

* *

Les commandos suivent leur entraînement dans le fameux camp d'Achnacarry, perdu dans les montagnes d'Écosse. Ce lieu doit sa célébrité à la manière inhumaine dont y sont traités les candidats. À la porte du camp sont alignées les tombes fictives de tous les hommes morts pendant l'entraînement. Une pancarte indique le nom de l'homme et l'erreur qu'il a commise car elle relève, bien entendu, toujours d'une faute personnelle. Cinquante pour cent à peine des volontaires reviennent d'Écosse avec le droit au port du béret vert. Les autres sont impitoyablement éliminés, soit qu'ils ne fassent pas l'affaire sur le plan physique ou moral, soit qu'ils soient blessés lors des manœuvres à tir réel ou même tués.

Tout est fait pour nous dégoûter, pour éliminer les moins forts et, surtout, les moins décidés. Chacun de nous peut, à tout moment, et sans encourir de sanction, regagner son unité de base. Ainsi les commandos ne réunissent-ils que des volontaires conscients. Un programme très chargé est parfaitement fixé et respecté, mais des manœuvres de nuit, toujours impromptues, surviennent au dernier moment. Lorsque, après une journée exténuante, nous venons de sombrer dans l'inconscience, soudain un instructeur fait irruption dans notre chambre et crie : « Rassemblement dans dix minutes, tenue de campagne, marche de nuit. » Il faut alors parcourir, à la boussole, les 30 kilomètres prévus et, le lendemain matin, c'est-à-dire après deux ou trois heures de sommeil, être présents à la parade pour l'inspection, rasés de près, les cuivres faits, les armes astiquées, ayant laissé derrière nous une chambrée propre, balayée, une paillasse bien rangée, sur laquelle les couvertures doivent être pliées au carré, les vêtements disposés suivant un rite intangible qui pousse la manie jusqu'à exiger que notre paire de souliers de rechange présente les clous de leurs semelles astiqués et brillants.

Gwenn-Aël Bolloré, ▮ ▮
J'ai débarqué le 6 juin 1944, op. cit.

* *

Le 27 avril, 300 navires et 30 000 soldats alliés participent à des grandes manœuvres dans le Devon, sur la plage britannique de Slapton Sands qui présente de nombreuses similitudes avec celle d'Utah Beach. Les premières vagues d'assaut débarquent sur une plage gardée par cinq cents « défenseurs » qui accueillent les envahisseurs sous des projectiles réels. Une erreur de timing fait 150 morts. Le 28 avril vers 2 heures du matin, un convoi de huit navires se dirige vers la côte pour décharger sur la plage du matériel lourd : essence, chars, canons, munitions, véhicules et troupes... Il va être décimé par des vedettes lance-torpilles allemandes, alertées par un trafic radio trop intense. L'opération Tigre fait en tout 946 morts et 500 blessés, chiffre trois fois supérieur aux pertes qui seront enregistrées sur Utah Beach, la plage jumelle, six semaines plus tard, le 6 juin 1944...

L'opération Tigre s'avéra un désastre majeur. Nos bateaux naviguaient sans navires d'escorte, bien que l'on ait su que des vedettes lance-torpilles allemandes rôdaient dans les parages. Ces « E-boots » étaient très rapides, capables d'atteindre 50 nœuds, alors que la vitesse maximale des LST ne dépassait pas 14 nœuds. Vers minuit, les Allemands repérèrent nos bateaux, ils les attaquèrent, coulèrent le LST 507 et en endommagèrent plusieurs autres.

On nous raconta en détail ce drame par la suite, mais en nous menaçant de la cour martiale si nous en disions le moindre mot aux civils lors de nos permissions à terre. Cette nuit-là, 946 soldats et marins américains furent portés disparus ou tués.

L'histoire montre bien que même les meilleurs plans des hommes peuvent parfois tourner au désastre. Il semble que nos bateaux aient été branchés sur une mauvaise fréquence radio lorsque la fin de l'exercice fut annoncée et qu'ils n'entendirent pas le message ordonnant à toutes les unités de revenir au port.

Lieutenant Downes 🇬🇧

* *

Nous avons commencé à patrouiller dans le secteur qui nous avait été dévolu. Le jour se levait quand nous sommes arrivés sur zone. Il était évident que c'était le lieu du drame à en croire l'incroyable quantité de débris qui flottaient un peu partout. Le brassage des hélices avait fait remonter à la surface d'innombrables épaves et, ce qui semblait plus grave, un grand nombre de corps. Le commandant avait peur de fausser les hélices avec les débris. Il me demanda donc de descendre dans l'eau et de rapprocher un par un les corps à proximité du bord pour qu'ils soient hissés à bord.

En cette fin d'avril, l'eau était tout simplement glaciale. J'ai vite réalisé qu'il me faudrait m'agiter vigoureusement pendant les premières minutes pour arriver à m'acclimater. Dire que l'eau était froide relève de l'euphémisme. J'ai dû passer près de deux heures dans l'eau pour récupérer tous les corps visibles. Certains étaient dans un état épouvantable. D'autres avaient été pris au piège sous le radeau avec les bras et les jambes emmêlés dans les filets. J'ai dû nager sous l'eau pour les libérer en tranchant leurs entraves. Après être remonté à bord frigorifié et grelottant, je ne pouvais plus m'arrêter de claquer des dents. Il y avait un silence absolu. Les moteurs étaient coupés, il n'y avait plus le moindre ordre, le moindre cri, l'équipage parlait à voix basse, et les oiseaux de mer eux-mêmes étaient silencieux. C'était un peu comme si le monde avait voulu rendre hommage à ces braves qui gisaient, morts, sur le pont.

Coxwain 🇬🇧

* *

Arrivé en France en octobre 1943, après avoir fait ses classes en Hollande, Franz Gockel se retrouve avec des vétérans qui ont participé à la campagne de France en 1940, puis à l'offensive de 1942 en Russie. Pour ce jeune couvreur, qui vient d'avoir 18 ans, la France est une sorte de Terre promise. Chaque soir, il écrit quelques lignes dans son journal intime sur les événements de la journée et sur le courrier reçu...

Le commandant de notre compagnie, le lieutenant Bauch, nous dit que Rommel était très mécontent, parce que les nids de résistance étaient complètement insuffisants et construits de manière trop sommaire. Rommel fit les reproches les plus accablants aux responsables de cette partie de la côte pour ces nids de résistance construits avec aussi peu de science militaire.

Rommel avait dépeint la baie comme étant un site idéal pour une conquête venant de la mer : environ 6 kilomètres d'une plage de sable très fin, avec quatre accès au pays par des vallées en pente douce. Le dernier commentaire de Rommel fut : « Cette baie doit être protégée au plus vite contre les tentatives de débarquement des Alliés. »

C'est alors en grande hâte que l'on travailla à la consolidation des fortifications dans ce secteur. L'une des entreprises de travaux de l'organisation Todt dépendante de Düsseldorf, composée de Français et en majorité de Marocains, bétonna en quelques semaines, en plus des emplacements déjà existants, des « Tobrouk » pour mitrailleuses légères, deux bunkers d'artillerie pour canons de 75, deux « Tobrouk » pour mortiers et mitrailleuses légères, ainsi qu'un abri à personnel et un poste d'observation pour l'artillerie.

Les emplacements de canons et les abris à personnel étaient construits de telle sorte qu'ils étaient susceptibles de résister à des bombes de taille moyenne et à l'artillerie navale. L'armement des points de résistance fut renforcé. La plage fut également équipée de défenses. À marée basse, une longue ceinture d'obstacles contre les blindés s'étirait sur la plage de sable devant la côte, de Colleville-sur-Mer à Vierville-sur-Mer. La mort faisait le guet sur les nombreux portiques en acier et sur les troncs d'arbres piqués dans le sable. Dessus, des mines plates devaient à marée haute déchiqueter les bateaux de débarquement.

Franz Gockel

**

Quelques semaines avant le débarquement, Marcel Labas, qui venait d'avoir 22 ans, formule une demande pour se marier. Sa fiancée anglaise attend un enfant... Marcel épouse sa belle juste avant de partir. Mais animé par un mauvais pressentiment, Marcel doit encore informer ses parents, Bretons de vieille souche qui ont toujours « détesté l'Anglais »... Marcel Labas sera abattu par un sniper avec son officier le 6 juin 1944 dans les rues de Ouistreham. Il fera partie des dix hommes du commando Kieffer qui donneront leur vie pour libérer la France dans les premières heures du débarquement.

Le 4 mai 1944

Mon cher papa et chère maman ainsi que mon cher frère,

À la veille de la grande bataille décisive pour la libération de notre pays je vous écris cette lettre car comme je suis aux avant-postes peut-être n'arriverai-je pas jusqu'à vous avant la fin de la guerre. J'ai tenu quand même à vous écrire cette lettre pour que vous sachiez ce que j'ai fait. J'ai rallié la France libre et je suis entré dans l'armée du général de Gaulle. Je suis entré dans ce que l'on appelle ici en Angleterre « commandos » après un dur entraînement. J'en suis fier. Que m'importe de mourir. Je n'ai pas peur des balles, mais je veux qu'après la guerre vous n'ayez pas peur de citer le nom de votre fils et à en rougir. La haine du Boche nous tient tous au cœur, car nous savons qu'ils ont torturé, assassiné beaucoup des nôtres, affaibli la France. Ils veulent notre mort à tous c'est pourquoi il faut en finir avec eux et les traîtres de chez nous.

Cher papa et chère maman je pars bien triste aussi car je vais vous confier mon histoire de cœur.

J'aime une jeune fille anglaise que j'ai rencontrée durant mon séjour en Angleterre. J'aurais voulu que l'enfant porte mon nom si je venais à mourir, que voulez-vous c'est le destin qui veut cela, mais si je reviens je jure qu'elle sera ma femme, en attendant je lui lègue mes biens qui se montent à peu près à 10 000 francs, au moins quand l'enfant viendra pourra-t-elle commencer à l'élever. Chers parents, je remettrai cette lettre à cette jeune fille qui vous la remettra. Elle est ma fiancée officielle. Je n'ai pu en faire ma femme mais elle est ma fiancée. C'est la seule femme que j'ai vraiment aimée dans ma vie.

Chers parents, je voudrais vous faire encore une demande : si jamais les Anglais viennent à la maison ne les repoussez pas car quoi que l'on dise sur eux, tous les Français que nous sommes en Angleterre, nous avons été accueillis comme des frères. Dans la maison où je suis actuellement, je suis comme le fils de la maison. Ils ont compris le malheur de la France. Ils savent tous qu'un Français ne peut s'abaisser dans la honte de la collaboration et accepter de l'argent des Boches car il lui brûlerait les mains. Cher papa et chère maman je termine maintenant ma lettre car voyez-vous j'ai tant de choses encore à vous dire mais il faudrait que je vous voie. Je vous mets aussi ma photo pour vous laisser un souvenir de moi en terminant cette lettre j'ai aussi les larmes aux yeux car peut-être je me dis que je ne vous reverrai plus mais mon devoir il est nécessaire que je le fasse. Rien ne doit passer avant le devoir. J'ai quand même espoir de revoir Paris et notre maison.

Cher papa et chère maman, je finis ma lettre en vous embrassant bien fort ainsi que toi mon frère Jean.

Embrassez pour moi toute la famille et les voisins aussi.

Marcel Labas ▌▌

**
**

Jack a 25 ans. Il est né à Val Verda, dans l'Utah, dans la région de Salt Lake City. Il est le huitième enfant d'un ingénieur et d'une pianiste. Il s'est marié un mois avant d'être affecté en Angleterre *dans la 8e Air Force. Quinze jours avant le débarquement, et sous le coup d'un mauvais pressentiment, l'aviateur et second lieutenant Jack Lundberg écrit une lettre testament à ses parents. Son bombardier va être abattu par la DCA allemande en survolant la gare d'Abbeville, en juillet 1944.*

le 19 mai 1944

Chère maman, cher papa

Là où je suis, je prends conscience du fait que mes chances de vous revoir sont très minces, et c'est bien la raison pour laquelle je veux écrire cette lettre pendant que j'en suis encore capable... Je veux que vous sachiez à quel point je vous aime... Vous êtes tout pour moi et c'est la force de votre amour qui me donne le courage d'aller de l'avant... Nous avons été pour vous la cause de problèmes et de sacrifices innombrables ; des sacrifices que vous avez consentis l'un et l'autre en connaissance de cause et de bon cœur, afin que nous puissions vivre de façon toujours plus confortable et plus sereine. J'ai toujours pensé que je pourrais en retour vous prouver mon affection et ma gratitude en vous permettant à mon tour de prendre du bon temps, de profiter de la vie et de ses plaisirs au maximum... Mais depuis trois ans, cette guerre ne m'en donne plus la possibilité... Et si vous recevez cette lettre, je serai dans l'impossibilité de vous rendre ce que vous m'avez donné, puisque j'ai souhaité qu'elle ne vous soit transmise que dans le cas où je viendrais à disparaître...

Vous avez eu plus que votre compte en matière de maladies et de deuils dans la famille. Malgré ces épreuves, vous avez continué à montrer l'exemple et à inciter vos enfants à faire leur devoir. Je suis réellement désolé d'accroître le poids de vos peines, mais n'oubliez jamais que je suis toujours resté en communion de pensée avec vous et que je sens bien qu'à ma modeste échelle, je contribue peut-être à accélérer le terme de cette guerre assassine.

Nous autres Américains avons une raison de combattre : je n'en ai jamais autant eu conscience. Aucun autre pays n'a jamais atteint un tel seuil de développement, de prospérité, de niveau de vie. Les États-Unis d'Amérique méritent bien que nous nous sacrifiions pour eux ! N'oubliez jamais que je vous aime de toutes mes forces et que je suis fier de vous. Considérez que Mary, ma femme a pris ma place au sein de notre famille et prenez soin les uns des autres... Avec toute mon affection pour chacun d'entre vous.

Jack Lundberg © Ann Lundsey Kronmiller avec l'autorisation d'Andrew Carroll et d'Ann Lundsey Kronmiller, 1re publication in *Andrew Carroll's War Letters, Extraordinary Correspondance from American Wars'*, Scribner, 2001

* *

Le caporal Alec Ellis Flexer a 22 ans en 1944. Son père Jacob fabrique des chapeaux, sa mère Sarah est professeur de piano. Alec a quitté l'école à 13 ans pour travailler dans une usine de boutons mais il est devenu parallèlement un jeune violoniste virtuose. Juste avant d'être parachuté dans la nuit du 5 au 6 juin 1944 avec la 6e Airborne, Alec écrit à ses parents. Ils ne le reverront jamais...

Chère maman, cher papa,

Quand vous recevrez cette lettre, les journaux devraient avoir eu le temps de vous informer du débarquement et je peux imaginer ce que vous ressentirez quand vous apprendrez le lancement d'une opération aéroportée de grande envergure... On vient juste de nous autoriser à vous informer du fait que nous avons passé ces deux dernières semaines dans un camp de transit pour attendre l'avion qui nous permettrait d'en découdre avec l'ennemi...

Je vous en prie, ne m'imaginez pas dans le rôle du héros superbe et vaniteux. J'ai eu tout le temps de ressentir le malaise qui précède une invasion ces derniers jours, que ce soit en pliant les parachutes, en préparant les grenades, ou en nettoyant les armes. Mon esprit a mouliné toutes sortes de pensées depuis que nous avons été briefés, que l'on nous a informés de ce que nous aurions à faire, et à quel point ce serait important pour la tête de pont de l'invasion. On ne peut pas s'empêcher d'avoir des petits accès de fierté... Des millions de gens savent comme moi que des événements historiques vont avoir lieu, mais pour l'instant tout cela reste dans le secret de nos cœurs. Cette lettre doit être recopiée à un nombre d'exemplaires infinis dans tout le pays ; il est évident que des millions de soldats ressentent ce que je ressens, écrivent ce que j'écris... Nous désirons tous que cette guerre touche à sa fin ; nous avons tous la même motivation. Et quelles que soient nos angoisses, nous resterons disciplinés ; on pourra compter sur nous. Tout ce que je vous demande, c'est de prendre cette lettre comme elle a été écrite. Je regarde les choses avec sérénité et je suis sûr que rien n'a été laissé au hasard. Nous formons une sacrément bonne équipe de combattants, et il ne fait aucun doute que nous prendrons soin de nous... Tout ce dont j'ai besoin, c'est de continuer à recevoir régulièrement vos lettres : c'est le meilleur remède que nous puissions recevoir, spécialement pour ceux qui sont rongés par l'angoisse qui précède l'action.

Et maintenant bonsoir ! Pardon pour le ton un peu froid de ma lettre. Je vous ai souvent dit que je ne voulais pas donner dans le mélo, et j'espère que vous me comprendrez...

Avec toute mon affection,

Alec Flexer [*]

* *

28 mai 1944

Les Tommies volent avec de grandes formations au-dessus de nos têtes. Les avions volent très bas : ils sont les maîtres du ciel. Souvent, ils déchargent leurs bombes près de nous. On peut les observer à loisir quand ils attaquent en piqué. Les bombes explosent et dégagent de grandes colonnes de fumée. Nous sommes sur une colline avec une grande visibilité. En ce moment ils passent au-dessus de nos têtes jour et nuit. Sans interruption. S'ils nous attaquent ça va faire mal. Je ne crois plus à une invasion : je voudrais bien savoir ce qu'ils mijotent...

Gebhard Ziegler [■]

* *

Je vais plutôt bien. Tant que l'on peut sauver sa peau dans cette guerre, on peut s'estimer content. Nous avons plus que suffisamment à manger car la Normandie, c'est ainsi que se nomme cette partie de la France, est une région riche. Nous mangeons beaucoup de viande et en sommes donc rassasiés. J'ai ici quatre kilos de beurre et j'aimerais pouvoir vous les envoyer si j'en avais la possibilité. Et puis j'ai encore quelques morceaux de bon savon que je veux vous faire parvenir mes très chers.

Helmut Liechtenfelds

* *

Il y avait bien des heures où personne ne pensait à la guerre. Plus d'une fois, le coucher du soleil sur la mer fut ainsi un événement qui faisait oublier la guerre. Mais à nouveau, les nouvelles du pays nous la rappelaient d'autant plus brutalement, qu'elle se déchaînait effroyablement, non seulement sur les fronts mais également à l'intérieur du pays.

Franz Gockel

* *

Fin mai parvint la nouvelle de l'embarquement de troupes au sud de l'Angleterre. Le déroulement des journées demeura cependant inchangé pour nous : rester au poste, faction près des armes et construction de positions. Toutefois, des mesures d'alerte accrues avaient été prises.

Franz Gockel

* *

Henri Bougeard a 14 ans en mai 1944. Ses parents sont les métayers qui gèrent la ferme de la motte à Saint-Clair-sur-Elle dans la Manche. Henri vient juste de passer avec succès son brevet et se prépare à partir en excursion avec les frères de son collège lorsque la foudre se déchaîne sur le bocage normand... Le caractère exceptionnel des événements qui bouleversent sa vie d'adolescent l'incite à écrire et à illustrer un journal intime sur un cahier d'écolier...

Le monde avait beaucoup pensé au débarquement, trop peut-être, mais beaucoup n'y songeaient déjà plus ; en effet, tous les habitants du pays y avaient cru, mais ils pensaient aux mois de mars, avril ou début de mai. À ce moment, les journaux en parlaient quotidiennement, la radio de Londres en vantait les effectifs puis, petit à petit, tout s'était tu ;

nombre de gens étaient découragés. On croyait que c'en était encore fini pour cette année, au moins jusqu'à l'automne.

Si tout le monde souhaitait le débarquement, rares étaient ceux qui le souhaitaient dans leur région. D'ailleurs dans la Manche, la croyance était bien établie qu'« ils » ne débarqueraient jamais par là ; Les quelques-uns qui osaient émettre l'opinion contraire étaient vivement ramenés à la réalité – notre pays se prêtait trop à la défense avec ses marais, ses vallons, ses haies, ses bois, ses chemins creux, et puis il n'existait aucun grand port sauf Cherbourg qui fût capable de recevoir les navires de débarquement.

Henri Bougeard ▌▌

* *

Le 5 juin, j'étais de garde le soir. Comme d'habitude, mon temps de garde n'en finissait pas... Quand vint la relève, nous nous dîmes avec celui qui venait prendre sa faction : « Pourvu qu'il n'y ait pas cette nuit encore un nouvel exercice d'alerte. » Nous y avions eu droit à plusieurs reprises les jours précédents...

Franz Gockel ▬

* *

Après avoir mis 880 jours pour rejoindre l'Angleterre au prix d'une incroyable galère, le caporal Maurice Chauvet est l'un des 177 Français membres du commando Kieffer qui se prépare à débarquer sur la plage Colleville-Montgomery près de Ouistreham.

5 juin 1944 – 22 h 30

Nous savons maintenant depuis une demi-heure où a lieu l'invasion. Nous débarquerons demain, 6 juin, à l'heure H + 20 = 7 h 30, à l'ouest de Ouistreham. En voyant pour la première fois les noms débarrassés du camouflage de noms exotiques anglo-saxons des cartes que nous avions à l'entraînement, j'ai senti que nous entrions dans le réel ; il est à présent possible de fixer son esprit sur des clochers, sur des maisons à volets de bois, et non plus sur des ouvertures à guillotines des maisons anglaises ou sur des chemins creux bordés de haies où nous faisions notre entraînement.

Quand les panneaux donnant sur le pont sont fermés, une lampe électrique jette une lumière chiche sur les quatre bancs de bois qui tiennent tout l'emplacement disponible. On dirait des banquettes de gare, mais plus longues. Que vingt-cinq hommes et tout leur matériel puissent s'y entasser est un miracle ! [...] La lumière vient du plafond, trop bas, et toutes les faces semblent dures et vieillies. Ce sont pourtant les figures de mes camarades de chaque jour, faces familières mais dont je ne connais pas le vrai visage. À la France libre, on sait rarement à qui l'on a affaire, beaucoup ont changé de nom, et surtout au commando ; nous vivons au jour le jour, sans passé et sans avenir, comme des enfants. La vie de chacun de nous a été une aventure dont l'aboutissement est ici, dans ce carré.

Avant guerre, nous étions des garçons sans mystère, mais aujourd'hui... La moitié de l'unité a été recrutée parmi les gars de la pêche et du commerce : ce sont des Bretons, venus pour la plupart par la mer. Ils ont vécu en Angleterre exactement comme ils l'auraient fait chez eux. Venus au commando par instinct plus que pour les tirades patriotiques qu'ils débitent de temps en temps, mais c'est là qu'ils deviennent différents et très touchants. Pour eux la France n'est pas un drapeau, mais une maison, une lande, la mère, la fiancée ou la barque dans un monde en paix. Les autres, je les connais pour la plupart depuis trois ans : venus par l'Espagne, ce sont de vieux camarades de prison et de camp de concentration.

Des centaines d'avions gros-porteurs nous survolent, beaucoup traînant deux planeurs. La 6e Airborne : huit mille hommes seront largués en France dans une heure. Si dans la matinée nous ne parvenons pas à les rejoindre, ils seront perdus, coupés de tout.

La nuit est un ronflement très doux, des milliers de bateaux et de barges glissent, tous feux éteints, chacun à vitesse différente.

La cale s'est emplie à nouveau, personne ne songe à dormir, personne n'a faim. Silencieux, nous attendons, nos équipements débouclés, sacs et armes à portée de main. Groupe disparate, où se confondent licenciés et illettrés, réunis par un immense dégoût de la France de 1940, ou par des déboires personnels, tous semblables, parce que l'heure qui vient sera un bon moment pour mourir au soleil, sans regrets, et pourrir sous une petite croix blanche, où par une dernière ironie, on inscrira sans doute « *unknown allied soldier* », si par erreur on ne nous met pas sur le ventre la rose d'Angleterre ou le chardon d'Écosse...

Maurice Chauvet, *Long way to Normandy, op. cit.*

* *

Le capitaine Alfred Birra a 25 ans. Ce fils d'immigrés siciliens s'approche de la plage d'Utah Beach dans la nuit du 5 au 6 juin 1944 avec le 8th Infantry Regiment, pendant que sa femme Barbara pense à lui de l'autre côté de l'Océan.

Il n'y a pas beaucoup d'hommes qui dorment en cette nuit du 5 juin... La plupart d'entre nous sommes assis, occupés à parler, à jouer aux cartes, à boire du café et à faire le genre de choses que font les hommes quand ils sont anxieux, un peu effrayés, et qu'ils ne veulent pas le montrer. À 2 h 30 du matin, le petit déjeuner est servi et nous l'honorons tous de bon cœur, sachant bien que si ce n'est pas notre ultime repas, ce sera en tout cas le dernier qui nous calera le ventre pour quelques heures, voire pour quelques jours...

Les petites péniches d'assaut sont désarrimées du bossoir et chacune d'entre elles absorbe son chargement d'hommes et d'équipement avant d'être descendue sur une mer noire dont les vagues affamées semblent tout faire pour submerger et engloutir la frêle embarcation... Comment décrire le sentiment d'angoisse qui vous étreint dans ce genre de situation... Alors que la péniche roule sur les rails, le bateau s'efface dans la nuit et, dans un jet d'écume qui trempe tout le monde jusqu'aux os, l'embarcation heurte la surface de l'eau. Les câbles se détachent et nous sommes alors entièrement abandonnés, livrés à nous-mêmes... Nous nous éloignons dans le ronronnement du moteur et en l'espace de quelques secondes ; le bateau qui nous a transportés n'est plus qu'une tache un peu plus sombre dans un monde de ténèbres, puis finit par disparaître totalement.

Il est temps à présent de rejoindre le point de ralliement où nous nous regroupons avec les autres embarcations qui doivent former notre vague d'assaut. En quelques minutes, nous sommes détrempés par les embruns des vagues qui éclatent contre la coque et les hommes commencent à émerger de leur léthargie pour sombrer dans le mal de mer... Sur les trente hommes qui sont à bord, plus d'une vingtaine sont malades comme des bêtes. Nous sommes à 6 miles[1] de la côte. Tout à coup, le show démarre avec la marine... De tous côtés, la silhouette imposante des croiseurs et des destroyers vomit les flammes de l'enfer avec des canons de 14 et de 16 pouces[2]. L'air retentit des grondements assourdissants et du hurlement des obus. Les batteries côtières ripostent et viennent amplifier le tumulte... Alors que nous commençons à peine à nous habituer à ce vacarme, il est à son tour submergé par le vrombissement des avions qui survolent la flotte pour entrer en scène. Ils déferlent par vagues successives, piquant vers le rivage et vers leurs cibles. L'impact de leurs bombes illumine la nuit. Tout comme les tirs de l'ennemi dont les projectiles déchirent le ciel. Mes pauvres mots n'arriveront jamais à décrire un spectacle qui dépasse à la fois l'imagination et l'échelle du regard humain.

Alfred Birra

* *

Devant nous deux petits dragueurs de mines qui semblent bien inoffensifs, derrière nous des milliers de navires glissent silencieusement dans la mer hostile ; à bord, aucune jovialité ; quelques-uns écrivent une dernière lettre, d'autres font semblant de dormir, et plusieurs vérifient ces armes dont leur vie va dépendre. C'est ainsi qu'à l'aube, vers 4 heures du matin, nous voyons à l'horizon la ligne sombre de la côte normande. Elle semble peu éveillée ; pas de tir nourri, pas d'émotion visible ; nos péniches prennent la position de lancement en attente de l'ordre de débarquement.

Léo Gariepy

* *

1. Environ 10 kilomètres. *(N.d.E.)*
2. Environ 35 et 40 centimètres. *(N.d.E.)*

Né Andrei Friedmann à Budapest en 1913, Robert Capa quitte la Hongrie à l'âge de 18 ans, et devient photographe à Berlin. Fuyant le nazisme, il se réfugie à Paris ; n'arrivant pas à vivre de ses photos, il crée avec sa compagne polonaise Gerda Pohorylle un personnage fictif, un reporter photographe américain qu'ils baptisent Robert Capa... Le monde s'arrache alors ses photos ! Robert Capa a 31 ans lorsqu'il débarque sur la plage d'Omaha. La plus grande partie de son reportage sera détruite à la suite d'une erreur de développement...

À 4 heures on nous rassemble sur le pont supérieur. Les vedettes de débarquement se balancent au bout des grues, prêtes à être descendues. Attendant la première lueur du jour, les deux mille hommes se tiennent debout dans un silence total ; et quelles que soient leurs pensées, ce silence ressemble à une prière. Moi aussi j'attends en silence. Je pense un peu à tout, à des prés verts, à des nuages roses, à des moutons qui broutent, à tous les bons souvenirs et surtout à faire les meilleures photos de ce jour. Aucun de nous ne s'impatiente et nous resterions volontiers dans l'obscurité toute la journée. Mais le soleil, ignorant que ce jour serait différent de tous les autres, s'est levé à l'heure habituelle. Les premiers appelés entrent en trébuchant dans leurs vedettes et – comme dans des ascenseurs au ralenti – on nous descend jusqu'à l'eau. La mer houleuse nous trempe immédiatement. Immédiatement les vomissements commencent. Mais cette invasion est si raffinée, si soigneusement préparée que des petits sacs en papier ont été prévus. Bientôt le mal de mer bat tous les records et j'imagine qu'il va devenir l'emblème même de toutes les célébrations du jour J.

Robert Capa, *Juste un peu flou*, Delpire, 2003 ▨

* *

Gris, tout est gris ! Autour de nous, la vie semble dormir. À perte de vue, la flotte immense ponctue de taches grises l'Océan gris. Des bateaux, des milliers de bateaux. Plus de cinq mille, de tous genres, nous dit-on aujourd'hui. Mais quelle limite à notre vision ! Deux mille, cinq mille ou dix mille ? Alentour, comme des chiens à l'arrêt, se trouve réunie, pour la première fois, la plus grande armada de tous les temps. Les moteurs se sont tus. Pas un bruit. La brume achève de se dissiper, laissant apercevoir, là-bas, vers le sud, une mince bande noire : la terre de France. Au-dessus des barques, de gros ballons gris antiaériens donnent au spectacle un côté étrange, enfantin, dérisoire. Soudain ! Ce n'est pas le tonnerre, c'est la canonnade. Les pièces d'artillerie de cinq mille bateaux tirent à la même seconde. Le bruit est tel qu'il devient impossible de différencier les rafales de mitrailleuse des coups de canon. Il n'y a plus qu'un effroyable roulement. Notre bateau a repris sa route. Seule sa vitesse a pu nous l'apprendre, car le bruit des moteurs se trouve comme gommé.

Gwenn-Aël Bolloré, *J'ai débarqué le 6 juin 1944, op. cit.*

* *

Chacun d'entre nous porte une pelle ou une pioche, des rations de nourriture pour vingt-quatre heures, des munitions et des cartes. Sous nos aisselles, nous sentons le gros renflement du gilet de sauvetage gonflé. Dans nos quartiers, nous avons camouflé nos visages sous de la crème Palmolive noire...

Hugh Bone

* *

Albert J. Webb a 22 ans. Ce fils d'un policier de Brooklyn a perdu sa mère à 6 ans. Il se confie donc à sa jeune cousine Betty Ann, dite « Sugar Plum »...

Chère Betty Ann

Je t'envoie dans une enveloppe séparée la photo d'un autre parachutiste embarquant dans mon avion. Je ne le connais pas personnellement, mais je n'ai jamais vu spectacle plus beau, plus estimable...

Chaque para portait une charge identique, aussi lourde qu'encombrante. Je peux t'assurer que je n'essaierai jamais de porter une charge aussi pesante lors de mes prochains sauts... Ce n'est pas tant le poids qui est gênant que la difficulté de s'extraire de son harnais après avoir touché le sol... Tant que l'on n'en est pas libéré, on est rien d'autre qu'une cible facile pour n'importe quel Allemand situé dans le secteur. Beaucoup de nos soldats ont atterri juste au milieu du feu et des positions ennemies. Je sais que si j'avais atterri à 20 pieds[1] de l'endroit où j'ai touché le sol, je me serais noyé dans une eau où je n'avais pas pied, et même là où je suis tombé, il m'a été très difficile de garder la tête hors de l'eau, pendant que je défaisais toutes les courroies, toutes les boucles qui m'emprisonnaient...

Comme tu le sais, j'ai sauté à 2 h 30 du matin, le jour J, plusieurs miles[2] à l'intérieur des terres. Pour différentes raisons, quand j'ai sauté, l'officier qui dirigeait le saut a laissé passer le signal et, réalisant que le délai était dépassé, il a hurlé pour nous ordonner de sauter. Je ne l'ai jamais revu. Arrivé au sol, je me suis retrouvé désespérément seul, et j'ai eu l'impression d'avoir à marcher et à ramper dans le marais pendant une éternité avant de rencontrer âme qui vive... Ça te donne le sentiment d'une effroyable solitude, d'être tout seul, perdu, derrière les lignes allemandes...

Jusqu'à ces derniers jours, je n'ai cessé de frissonner en y repensant...

Albert J. Webb 🇺🇸

* *

Arline, mon Amour

J'ai l'impression que nous nous battons depuis une éternité. On se moquerait de ce qui nous est arrivé à moi et à mon bataillon, même dans un roman à dix sous, en disant que c'est invraisemblable... La raison pour laquelle quelques-uns parmi nous sont restés vivants, sont encore vivants, relève du miracle. J'ai vu la plupart de mes meilleurs amis se faire tuer à mes côtés. Je n'arrive pas à croire que tout cela est arrivé. Même dans mes pires cauchemars, je n'ai jamais pensé qu'un tel effroi pouvait s'emparer de votre être... La tâche qui consiste à sauter loin derrière les lignes ennemies, à essayer de défendre une position attaquée et bombardée de toutes parts en attendant l'arrivée des renforts est quelque chose dont j'espère qu'on ne me redemandera jamais de le faire à nouveau. La nuit où nous avons sauté,

---

1. Environ 6 mètres. *(N.d.E.)*
2. 1 mile = 1 609 mètres. *(N.d.E.)*

celle du D Day, ce fut notre fête... Les Fritz connaissaient nos plans jusqu'au moindre détail, et nous attendaient armés jusqu'aux dents. Ma chute a été illuminée par des balles traçantes, et j'ai touché le sol, juste sous le feu d'une mitrailleuse. J'ai coupé les brides de mon harnais et rampé pendant deux heures avec des balles qui sifflaient à mes oreilles, et qui semblaient venir de toutes les directions... Il m'est défendu de te dire ce qui m'est arrivé ensuite mais j'espère que je n'aurai pas à attendre longtemps pour te dire de vive voix ce qui m'est arrivé. Ce qui est sûr, c'est que c'est Dieu qui m'a ramené sain et sauf ; ça j'en suis sûr... Chaque passage du vaguemestre m'apporte tes lettres, Arline, et j'ai eu envie de sauter de joie et de soulagement, quand j'ai su que tu n'avais pas renoncé à devenir ma femme. J'essaye d'être aussi prudent que possible pour te revenir entier et vivant, mais il y a des moments où cela ne dépend vraiment que de la volonté de Dieu.

Mon amour, je t'aime et je tiens plus encore à toi qu'à ma propre vie : j'ai réalisé cela plus d'une fois ; chaque fois que je pensais que j'allais être tué, c'est le regret engendré par le risque de ne plus te voir et de ne pas avoir le temps de t'épouser qui l'emportait sur tout le reste... Je pense que je peux dire que la force de l'amour que je te porte a été testée avec succès...

À très vite

Moissons

Mardi 6 juin 1944

Les plages de Normandie avaient la couleur du blé mûr lorsqu'il attend la faux du moissonneur...
Elles avaient la couleur des plaines à blé de l'été 1914...
Le ciel était pourtant livide et la mer était mauvaise.
Les hommes qui allaient débarquer avaient perdu l'insouciance et les pieds nus de leur enfance proche. Leurs casques et leurs habits avaient la teinte des goémons rejetés par l'océan. Certains avaient peint le camouflage de la nuit sur leur visage clair. Devant eux, d'autres hommes allaient déclencher la foudre, tapis dans leurs nids de béton qui avaient volé la couleur du ciel plombé par les nuages, la couleur grise de la mer qui dégorgeait sa tempête... Et le grand jeu allait commencer. Il allait se jouer à huis clos, loin du regard des femmes, des mères, des filles et des amantes.

Les plages de Normandie avaient la couleur du blé mûr, mais en réalité, les blés étaient en herbe ; ils avaient germé de l'autre côté de la mer ou de l'océan... Ils avaient poussé dans les prairies ou dans les villes d'Amérique, dans les forêts canadiennes ou dans les banlieues anglaises... Ils étaient beaucoup trop verts pour être moissonnés... Et la faux de l'Histoire allait bientôt griffer sur le sable tous les prénoms de ces enfants qui allaient s'endormir, et dont les noms s'effaceraient trop vite, balayés par l'écume des jours.

Dwight David Eisenhower a 54 ans. Ce Texan, troisième enfant d'une famille modeste, entre à West Point avec une bourse. Dès 1941, il est le général américain qui prépare avec les Anglais les débarquements alliés à prévoir en Europe et qui va diriger les opérations du débarquement de Normandie.

Soldats, marins et aviateurs des Forces expéditionnaires alliées !

Vous allez vous embarquer pour la grande croisade vers laquelle ont été mobilisés tous nos efforts depuis de longs mois. Les yeux du monde sont fixés sur vous. Les espoirs, les prières de tous les peuples épris de liberté vous accompagnent. Avec nos valeureux alliés et nos frères d'armes des autres fronts, vous détruirez la machine de guerre allemande, vous anéantirez le joug de la tyrannie que les nazis exercent sur les peuples d'Europe et vous apporterez la sécurité dans un monde libre. Votre tâche ne sera pas facile. Votre ennemi est bien entraîné, bien équipé et dur au combat. Il luttera sauvagement.

Général Dwight D. Eisenhower

* *

En cas d'échec, Dwight D. Eisenhower a tout prévu : ce communiqué écrit de sa main prouve que les Alliés ne sont sûrs de rien...

Notre débarquement dans la région de Cherbourg et du Havre ne nous ayant pas permis de nous implanter durablement en territoire hostile, j'ai dû prendre la décision d'ordonner la retraite des troupes engagées. Ma décision d'attaquer à cet endroit et à ce moment précis était soutenue par les meilleurs renseignements possibles. Les troupes, l'aviation et la marine ont fait tout ce que la bravoure et le sens du devoir leur permettaient d'accomplir. Je suis la seule et unique personne qui puisse être blâmée ou incriminée pour cette tentative malheureuse. J'en assume seul la responsabilité.

Général Dwight D. Eisenhower

* *

Tous les habitants souhaitaient une fin. Alors le débarquement fut accueilli à la fois comme un soulagement et aussi comme un grand malheur : c'était la guerre chez nous.

Journal intime de Henri Bougeard, 14 ans ▌▐

* *

Le vent souffle fort en provenance du nord-ouest. Alors que nous avançons vers la terre, dans la pâleur grise de l'aube, l'embarcation de fer ressemble à un cercueil de 12 mètres, prenant des paquets d'eau verte qui retombent sur les têtes casquées des hommes serrés épaule contre épaule, dans l'inconfortable, l'insupportable, la dure solitude des soldats allant au combat.

Ernest Hemingway ▤

* *

Les bateaux de guerre se remettent à tirer. Les obus hurlent à nouveau. C'est alors que se déchaîne un barrage d'artillerie sur les obstacles de la plage. Une partie des troncs d'arbres est déchiquetée. Certains brûlent. Lentement, mètre après mètre, le rouleau de feu s'avance. Un rouleau monstrueux de brouillard et de fumée tournoie avec des craquements assourdissants, des hurlements, des sifflements et des crissements, abattant tout et s'avançant vers nous. Le rouleau de feu prend son temps. Il sait que nous ne pouvons lui échapper.

Franz Gockel ▬

* *

C'est le moment. L'aube se lève et nous commençons à apercevoir la plage au loin dans un nuage de fumée. Notre tour est venu. Les hommes se mettent debout, ajustent leur équipement et leurs gilets de sauvetage, alors que des obus tombent de tous côtés, et que plusieurs embarcations ont déjà été coulées. Nous chargeons nos armes, nous déverrouillons les sécurités ; la plage se déroule devant la proue de la péniche d'assaut. Le signal de la barre m'informe que nous allons aborder, la rampe est abaissée et nous sautons avec le sergent dans 1,50 mètres d'eau. Je me retourne : les hommes sont déjà dans l'eau et s'éparpillent pour échapper aux balles qui sifflent autour de nous et qui frappent l'eau pour la plupart. C'est une sensation de fin du monde. Il nous faut parcourir à peu près 500 yards[1] dans l'eau, sans pouvoir courir étant donné la profondeur, sans pouvoir ramper, avec une seule possibilité : avancer debout...

Alfred Birra

* *

Marcel Niel a 23 ans et débarque près de Ouistreham avec le 4 commando du commandant Kieffer. Avant de débarquer il jette son lance-flamme à la mer, trouvant l'arme trop barbare.

Nous sommes à deux milles de la côte, nous approchons lentement. Quel vacarme ! Et alors ça commence à sentir la poudre, ça sent bon. Et on approche toujours de la côte. Pas mal d'appareils dans le ciel mais manque de pot pour les Allemands, pas un Fritz en l'air qui espère sa venue, ils sont pourtant réveillés. Mais ils ont bien raison de ne pas sortir car la chasse anglaise a l'air décidée. On est à 200 mètres de la plage. Allez, les gars, en position de débarquement, messieurs les Fritz se réveillent. Quelques obus pleuvent devant, derrière, sur les côtés, pas de trop mais il y en a assez. Oh ! les balles de mitrailleuses commencent à siffler. L'avant de la barge a touché les coupées à l'eau et on débarque. Manque de pot, même pas à la moitié, je débarque, un obus coupe la coupée. « Saute sur l'autre barge », ordonne le commandant de la barge. Quelques secondes, et tout le monde a changé de barge. Le grand Lanternier et moi, on s'apprête à descendre, manque de pot, un obus traverse l'étrave. Après celui-là, c'est le moment de débarquer. Une minute après, tout le monde est sur la plage. Les obus commencent à augmenter et les balles de mitrailleuse. Je reçois un éclat sur mon casque, sans vous mentir d'au moins 5 centimètres...

Marcel Niel

* *

---

1. Environ 450 mètres. *(N.d.E.)*

Le caporal Leslie F. Roker s'est engagé à 18 ans. Des erreurs administratives successives vont faire du tankiste un fantassin puis un téléphoniste... incorporé dans une unité de Highlanders écossais qui débarque à Graye-sur-Mer (Juno Mike Beach).

Chacun d'entre nous est doté d'un « Tommy Cooker », qui n'est rien d'autre qu'un petit réchaud équipé de deux tablettes d'alcool à brûler, chacune ayant la taille d'un Penny 44 et devant être allumée sous le réchaud. En prime chacun de nous a reçu une boîte étanche contenant vingt cigarettes, et deux rations permettant de tenir chacune vingt-quatre heures. Ces rations sont en soi de vraies petites merveilles : une boîte en carton dans laquelle on trouve dix biscuits, deux paquets de chewing-gums, quatre morceaux de sucre, une salière, une vingtaine de sucreries, deux tablettes de chocolat au raisin, un morceau de viande, des sachets contenant un mélange de thé, de lait et de sucre, une tablette de flocons d'avoine (pour le porridge), deux bouillons cubes, une tablette de chocolat noir (qui peut être utilisée pour une boisson chocolatée), et quelques rouleaux de papier hygiénique ainsi qu'une feuille de papier nous donnant des idées de menus... Le bloc de viande ressemble à un morceau de balsa mais une fois jeté dans une gamelle d'eau bouillante sur le réchaud, il donne après réhydratation un plat de viande délicieux, de la même manière que le sachet de thé tout prêt et tout mélangé avec son sucre et son lait donne une tasse de thé convenable après infusion dans une chope d'eau bouillante.

Ces rations de survie seront notre unique moyen de nous alimenter car nous ne recevrons aucun ravitaillement dans les quarante-huit heures suivant le débarquement. Nous abandonnons tout le superflu et nous ne gardons sur nous qu'une petite sacoche de toilette contenant le nécessaire de toilette et de rasage, deux *mess-tins*, une tasse, un couteau, une cuillère et une fourchette. Même ainsi, quand nous avons débarqué, nous étions très lourdement chargés. En plus de notre uniforme, de notre linge, de diverses poches et sacoches, chacun de nous emporte une cape pliée, deux gourdes, une baïonnette, un masque à gaz, un casque, et une couverture enroulée autour du sac. Je porte en outre un fusil, deux chargeurs de mitrailleuse (certains portent un obus de mortier à la place), deux cartouchières chacune contenant cinquante cartouches de calibre 303. Comme mes compagnons, je porte également une pelle.

Leslie F. Roker 🏴

* *

Alfred Turnbull est canadien. Il a 19 ans et pilote l'une des péniches d'assaut qui se dirige vers Omaha Beach en traversant un redoutable champ de mines...

Le jour se lève ; des péniches d'assaut recouvrent l'océan, n'attendant que l'ordre de cingler vers les plages. Parmi les différents bateaux de transbordement et d'assaut, il y a une multitude de destroyers, de dragueurs de mines, de canonnières, de MTB's et les grosses infrastructures des croiseurs lourds. Le ciel qui nous surplombe est constellé d'avions alliés qui s'en vont pilonner le rivage. À 6 h 45, l'ordre est donné de mettre les péniches à la mer et de larguer les amarres. La mer est très mauvaise et nous entamons notre trajet de 7 miles et demi[1]. Les soldats sont malades comme des bêtes. Toute la flottille de débarquement avance en ligne et au fur et à mesure que la distance qui nous sépare des plages s'amenuise, le grondement du feu d'artillerie de nos bateaux s'intensifie, tout comme celui qui part du rivage, tout comme celui du bombardement de nos avions, tout comme celui de la DCA ennemie qui s'évertue à les descendre. C'est un spectacle inoubliable que celui des troupes alliées qui se rapprochent de la France. Enfin, notre objectif, la ville de Bernières-sur-Mer, émerge de l'obscurité. Le bourg est en feu. Nous apercevons le clocher d'une vieille église. À un mile de la plage, on nous donne l'ordre de nous déployer et la flottille s'avance. On nous a signalé que des champs de mines protègent l'accès des plages, et lorsque nous nous y engageons à vitesse réduite, on aperçoit les mines déployées à une distance de 500 yards[2], suffisamment rapprochées les unes des autres pour rendre très hasardeux le passage des LPA. Quand je regarde ce qu'il y a devant la proue et que je vois les cadavres des commandos de Mari-

---

1. Environ 12 kilomètres. *(N.d.E.)*
2. Environ 450 mètres. *(N.d.E.)*

nes flottant à la surface de l'eau, je réalise ce qui nous attend. Les Marines sont censés avoir dégagé la route pour nous, et le fait qu'ils soient morts signifie que nous devrons nous-mêmes sauver notre peau en jouant à la roulette russe. Nous sommes rapidement entourés de mines, et la marée poussant notre poupe à quelques centimètres de chaque mine, je m'attends à être pulvérisé d'un instant à l'autre. Pour arranger le tout, le bruit des obus de mortier qui s'abattent autour de nous déchire nos tympans et un odieux *sniper* nazi essaye visiblement de localiser de bonnes cibles depuis le rivage. Alors que nous dépassons le troisième barrage de mines et que nous nous apprêtons à négocier le quatrième, l'embarcation qui se situe à notre droite est littéralement coupée en deux lorsqu'elle heurte une mine. Alors, en regardant autour de moi, je réalise que presque toutes les embarcations de notre vague, qui n'étaient séparées les unes des autres que par quelques mètres de distance, ont été coupées en deux, la proue et la proue transpercées, coulant rapidement, ne laissant même pas le temps à nos soldats de prendre pied, plongés dans l'eau jusqu'à la ceinture. Je n'arrive pas à comprendre par quel miracle nous flottons encore, continuant notre progression vers la plage. En regardant un peu plus loin je vois des péniches d'assaut qui explosent sur la plage et les corps de leurs équipages réduits en miettes. Malgré ces divers malheurs, l'armée débarque...

Alfred Turnbull 🇨🇦

* *

Franz Gockel vient d'avoir 18 ans. Sa mitrailleuse balaye Omaha Beach. Après six heures de combat acharné, sa main est transpercée par une balle américaine vers 15 heures. Évacué à 120 kilomètres du front, il écrit à ses parents pour leur raconter son jour J...

10 juin 1944

Chers parents, chers frères et sœur,

Votre fils, votre frère vous exprime toute son affection ! Je vous salue. Moi je vais bien si l'on laisse de côté ma blessure. J'espère que vous aussi vous allez bien.

Mardi 6 juin, il y a eu une attaque sans précédent, une attaque inimaginable, du jamais vu, même en Russie...

À 1 h 30, on a sonné l'alarme : nous avons été bombardés par les Américains sur notre droite et sur notre gauche. Nous attendions, vigilants, angoissés, près de nos armes. À l'aube, vers 4 heures, nous avons commencé à deviner la silhouette des premiers gros navires ennemis. À peine les distinguions-nous que des éclairs jaillissaient déjà de leurs canons à une cadence infernale. Bientôt, les premiers obus s'abattirent sur nous dans un vacarme épouvantable. De leur côté, les bombes larguées par les avions n'arrêtaient pas de siffler. Il n'y eut bientôt plus un mètre carré de sol qui ne soit touché par les bombes ou par les obus. En moins de cinq minutes, la maison où nous logions était en flammes. J'étais avec ma mitrailleuse dans un abri à 40 mètres de là. L'abri a d'abord tenu le coup puis il a été rapidement détruit lorsque les premières péniches de débarquement ont accosté les plages. J'ai pu m'en extraire moi-même. J'avais un gros éclat d'obus à quelques centimètres de la tête...

Et puis la boucherie a commencé. Avec la marée, la mer s'était retirée de 250 mètres. Beaucoup de péniches de débarquement avaient déjà été détruites par nos armes lourdes. Mais beaucoup d'autres s'échouaient sur le rivage. Les Américains devaient alors parcourir 250 mètres de plage à découvert, ce qui leur était fatal... Le miracle, c'est que personne dans notre unité n'avait été tué ou blessé par les bombes et par les obus. Nous étions bien décidés à le faire savoir aux Américains. Malgré le feu nourri de l'ennemi, on tirait sur tout ce qui bougeait. La plage fut bientôt couverte de corps. Bien peu parmi eux parvinrent au bout, à couvert. Parmi ceux qui restaient allongés, certains étaient encore indemnes. Mais la marée les obligea à ramper vers le haut de la plage. Nous les avons à nouveau pris sous le feu nourri de nos armes. Malgré les pertes sévères qui les touchaient, ils continuaient leur progression, ce qui ne manquait pas de nous étonner.

Vers midi, les Américains ont percé nos lignes sur notre gauche. C'est là que nous avons eu nos premiers blessés, sans que leurs blessures soient trop graves. Tous étaient encore capables de marcher vers l'arrière. J'ai été blessé par un tireur ennemi vers 15 heures Il était à 25 mètres de moi dans une tranchée. Je ne l'avais pas remarqué, sinon il ne m'aurait pas atteint. J'ai tout de suite rejoint la compagnie. De là, j'ai été évacué vers l'arrière avec d'autres camarades. Maintenant je suis à 120 kilomètres de la côte. Devant nos positions sur les plages, nous avons laissé environ 2 000 à 2 500 assaillants morts ou blessés, 15 à 20 chars détruits, un gros bateau porte-chars et 20 péniches de débarquement hors service. Chacun d'entre nous a fait tout son possible pour contrer l'incroyable supériorité numérique des Américains. J'ai dû tirer plus de 400 rafales, dont 300 avec des balles traçantes. La distance de 100 à 250 m qui nous séparait des assaillants nous était très favorable. C'est tout pour aujourd'hui !

Je vous embrasse très fort !

Votre fils, votre frère qui vous aime

Franz Gockel ▪

* *

La côte normande est encore à des kilomètres quand le bruit du premier éclat de balle percute nos oreilles. On se jette à plat ventre dans les vomissures sans plus surveiller la côte qui s'approche. Le fond plat de notre vedette racle le sol de France. Le maître d'équipage baisse l'avant en fer et là, entre les obstacles d'acier aux silhouettes grotesques plantés dans l'eau, apparaît une mince bande de terre noyée dans la fumée – notre Europe, la plage « Easy Red ».

Ma belle France est repoussante et horrible, et la mitrailleuse allemande qui fait crépiter ses balles tout autour de notre vedette bousille mon retour. Les hommes de mon bateau pataugent dans l'eau jusqu'à la taille, leurs fusils prêts à tirer. L'eau est froide et la plage encore à plus de 100 mètres. Les balles trouent la mer tout autour de moi. Le jour est à peine levé et le temps trop couvert pour faire de bonnes photos mais l'eau grise et le ciel plombé font ressortir les petits hommes embusqués derrière les défenses surréalistes inventées par les experts antidébarquement. Les Allemands jouent maintenant de tous leurs instruments et je ne vois aucun trou entre les obus et les balles qui barrent les trente derniers mètres avant la plage. La marée monte et l'eau atteint maintenant ma lettre d'adieux dans la poche de ma chemise. Protégé par les deux hommes qui me précèdent, j'arrive sur la plage. Je me jette par terre et mes lèvres touchent la terre de France. Je n'ai pas envie de l'embrasser.

Saint-Laurent-sur-Mer a dû être une station balnéaire moche et bon marché pour les instituteurs français. Aujourd'hui, le 6 juin 1944, c'est la plage la plus laide du monde entier. Épuisés par l'eau et la peur, nous sommes étendus sur une petite bande de sable mouillé entre la mer et les fils de fer barbelés. À condition de rester couchés, la pente de la plage nous protège un peu de la mitrailleuse et des balles mais la marée nous oblige à nous rapprocher des barbelés où les fusils s'en donnent à cœur joie.

Un obus tombe entre les barbelés et la mer, et chacun de ses éclats frappe un corps. Le prêtre irlandais et le médecin juif sont les premiers à se mettre debout sur la plage « Easy Red ». Je prends la photo. L'obus suivant éclate encore plus près. Je n'ose plus décoller mon œil de l'objectif de mon Contax et je prends frénétiquement photo sur photo. Une demi-minute plus tard mon appareil se bloque, le rouleau est fini. J'en cherche un nouveau dans mon sac ; mes mains mouillées et tremblantes bousillent le nouveau film avant que je puisse le mettre dans l'appareil. Je m'arrête quelques secondes... et c'est encore pire. L'appareil vide tremble dans mes mains. Une peur nouvelle et différente me secoue des doigts de pieds aux cheveux et me tord la figure. Je décroche ma pelle et j'essaye de creuser un trou. La pelle cogne une pierre sous le sable et je la jette au loin. Les hommes autour de moi sont étendus, immobiles. Seuls les morts, à la limite de la marée, roulent avec les vagues.

Robert Capa, *Juste un peu flou, op. cit.*

* *

Dom Bart appartient à la première vague d'assaut qui débarque sur Omaha Beach, et raconte le détail de son assaut dans une lettre destinée à sa femme qui habite Brooklyn.

Il est 6 h 30 du matin. Nous sommes sur le point de débarquer entre la Pointe du Hoc et Vierville-sur-Mer sur les plages de Normandie, « Omaha Beach » comme disent les Alliés... Loin devant moi, je peux entendre le grondement de l'artillerie et le staccato des mitrailleuses... Les éléments sont déchaînés, et le landing-craft est à moitié rempli d'eau. Nous écopons avec nos casques, et j'ai du mal à penser que nous allons y arriver. Un certain nombre d'embarcations sont coulées sur place. C'est un spectacle de cauchemar. Et puis l'ordre vient : allez-y ! Et nous nous jetons dans le combat : c'est une expérience toute nouvelle pour moi, mais quelle expérience ! Nous n'avons aucune possibilité de repli, car nous débarquons dans une eau où nous n'avons pas pied. Nous n'avons pas d'alternative : la plage est truffée de mines... Le courant qui nous rejette vers le large nous met à la merci des Allemands, et nous avons à déployer des efforts surhumains pour regagner la plage et pour récupérer... Je patauge dans l'eau pendant près d'une heure et je suis plus mort que vif... J'essaye de sortir de l'eau à de multiples reprises, mais j'échoue à chaque fois. Il est quasiment impossible de prendre pied sur le rivage. Je perds tout espoir et je formule mes dernières prières. Je prie pour en réchapper, mais je file un mauvais coton... J'arrive enfin à aborder la plage, à moitié gelé, quasiment incapable de bouger – et je perds conscience. Quand je reviens à moi, le combat bat son plein. Je me secoue, cherche un fusil et m'efforce de rassembler mon équipement... J'arrive à tout récupérer et j'en suis tout heureux... Mais, mon Dieu, que reste-t-il de notre unité ? Une poignée d'hommes : vingt-cinq sur cent soixante... Le bataillon est quasiment anéanti : sur mille hommes, huit cents ont été tués ou blessés...

Dom Bart © Mildred Bart avec
l'autorisation d'Andrew Carroll, 1re publication
in *Andrew Carroll's War Letters*, op. cit.

* *

Comme nous nous rapprochons de la plage, nous nous serrons sur les rampes de débarquement. C'est alors que le feu des mitrailleuses nous surprend. Les balles fouettent la surface de l'eau comme la pluie. En cet instant je comprends ce qui nous attend. Il semble quasiment impossible d'atteindre la côte. Notre bateau a été atteint au niveau du bastingage et beaucoup de soldats ont été tués : une trentaine ou davantage. Je regarde la plage : jusqu'à présent personne ne semble avoir réussi à progresser. Nous sommes bloqués par le feu des mitrailleuses et de l'artillerie. Nous sommes toujours incapables de débarquer et touchés à nouveau. Nous faisons un nouvel essai alors vers 9 ou 10 heures. Nous avons déjà perdu la moitié de notre troupe. Certains sont tout bonnement passés par-dessus bord, d'autres ont été tués. Quelques-uns sont tombés à l'eau, d'autres pendent sans façon, tués sur la rambarde. À ce moment, nous essayons encore une fois de débarquer. Le navire a du gîte et prend l'eau. À la troisième tentative pour atteindre la côte, nous sommes touchés une fois de plus et le bateau s'enflamme.

Louis Serpa

**

Fils de cheminot, Melvin B. Farrell ne peut devenir officier car il est daltonien. Cela ne l'empêche pas d'être l'un des premiers soldats américains qui débarquent sur Omaha Beach...

Je suis le troisième à mettre le pied sur la plage. Avec les deux autres, nous avons roulé sur la gauche et sauté par le côté de la rampe. Le feu des mitrailleuses balaye désormais l'intérieur de la péniche d'assaut et la plupart de nos hommes sont tués avant même d'avoir pu en sortir.

Tout cela semble irréel, comme un cauchemar éveillé ; les hommes crient et meurent tout autour de moi. Je me demande si tous les hommes prient de manière aussi fervente que je le fais. Cette portion de plage est sous le feu intensif du blockhaus que nous voyons sur la colline. Dans les balles tirées par des mitrailleuses, une balle sur cinq est une balle traçante que vous voyez rougeoyer. Ces rafales-là tissent un réseau tellement dense et si entrecroisé qu'il est difficile de croire que qui que ce soit puisse en sortir indemne.

Avec une lenteur navrante je parviens jusqu'au mur derrière lequel plusieurs de nos hommes nous attendent déjà. La B Company subit deux tiers de pertes... Allongés derrière le mur nous n'arrivons pas à détourner notre regard de l'infanterie. Les hommes courent à l'assaut de la colline en un flot incessant ; les morts et les mourants s'empilent derrière eux. On peut pratiquement traverser la plage sans toucher le sol tant elle est jonchée de corps. La mort est là, partout ; elle a de multiples visages...

Je me demande si je serai jamais capable d'oublier tout ça.

Melvin Farrell

**

La côte est bien visible maintenant. Nous avançons entourés de hautes colonnes d'eau soulevées par les impacts d'obus tirés de la terre. Plusieurs ricochets formant des lignes de pointillés dans la mer sont visibles très près de notre coque ; ce sont des tirs de mitrailleuse.

Soudain, notre LCI vibre violemment et s'immobilise, nous venons d'aborder la côte à toute vitesse. Face à nous, une étendue de sable d'environ 100 mètres, plus loin des dunes au sommet recouvert d'herbages. Dans un vacarme étourdissant, j'entends à l'avant la chute des deux passerelles et les cris de Pinelli entraînant ses hommes... Il est 7 h 30. Pour nous le débarquement vient de commencer.

Je me dirige à l'arrière pour détacher mon vélo, mais à peine ai-je fait quelques pas, frôlant des hommes agenouillés en une longue file, qu'un choc formidable me projette à terre : un obus vient de tomber sur l'avant du bateau. Retentissent les hurlements des blessés et des hommes tombés à l'eau, incapables de nager avec le lourd équipement qui les attire vers le fond. [...]

Les deux passerelles latérales ont été poussées, l'homme devant moi glisse et file comme sur un toboggan, je m'engage à mon tour... Je vois dans l'eau le dos et le sac d'un commando qui a trébuché. Il risque de se noyer, mais on ne peut rien faire. Au pied de la passerelle, un jeune marin blond revêtu d'un pull blanc à col roulé, dans l'eau jusqu'à la ceinture, assure la passerelle tout en poussant de grands cris pour activer la descente. Je suis frappé par son air joyeux, il semble à une fête. Mais je suis déjà dans l'eau, et bientôt sur le sable. Un ou deux corps, des objets divers, des boudins gonflables, un poste de radio, des armes, des casques jonchent le sol...

Maurice Chauvet, *Long way to Normandy*, op. cit. ▊ ▊

**

Comme Marcel Labas, comme Maurice Chauvet, le sergent Robert Saerens débarque avec le commando Kieffer...

7 h 30. La terre est proche. Des obus passent au-dessus de nous en sifflant. Un torpilleur anglais coulé repose sur le fond. Des LCT s'échouent et mettent à terre des chars démineurs. Toujours l'impression d'être au cinéma.

7 h 45. En position pour débarquer. Je suis à genoux à tribord milieu, assez ému, mais bien décidé à suivre le spec-

tacle jusqu'au bout. Juste avant de nous échouer nous apercevons un chaland échoué sur notre gauche.

7 h 55. Nous talonnons. Les coupées sont descendues. Les premiers éléments débarquent. Des balles sifflent autour de nous. Je commence à réaliser le danger ; tant pis, il faut y aller. Avec l'approche de plage, mon mal de mer va mieux. Mon tour arrive ; la coupée est très inclinée et les sacs tyroliens, pesants et encombrants, diminuent notre agilité. Je descends la coupée sur le derrière... et me retrouve dans l'eau jusqu'à la poitrine. Le plus rapidement possible j'essaye d'atteindre la plage mais on ne va pas vite dans l'eau et le sac tyrolien est lourd ; ce travail m'empêche de m'apercevoir que les balles passent près de nous. Je m'en aperçois après par les blessés. Enfin la terre ferme. Sur ma gauche, beaucoup de commandos sont déjà couchés, blessés ou morts.

Robert Saerens ▊ ▊

* *

Le sergent Dalmain Estes a 25 ans. Il fait partie de la seconde vague qui débarque sur Omaha Beach.

Nous sommes la seconde vague de débarquement...

Nous devons débarquer sur une plage située à découvert, truffée de mines sous-marines, truffée de pieux sous-marins destinés à stopper les péniches de débarquement, avec des dizaines de câbles reliés à des mines de surface, et des dizaines de poteaux émergeant coiffés de mines terrestres. Des obstacles métalliques destinés à arrêter nos half-tracks et nos blindés, des mines enfouies sous le sable, des pièges à tanks et des nids de fil de fer barbelé... Sur les hauteurs qui dominent la plage, il y a des bunkers qui ont une vue imprenable sur la totalité de notre plage... Les rochers qui nous séparent de ces bunkers mesurent une centaine de pieds[1] de hauteur ; leurs défenseurs sont enterrés et lourdement armés. Nous affrontons une puissance de feu allemande tout simplement démentielle. Des canons de 75 et de 88, des armes automatiques antichars de 37 mm, des lance-roquettes, plusieurs mitrailleuses, des soldats, des mortiers meurtriers qui nous clouent au sol. Nous avons en face de nous des troupes d'élite...

---

1. Une trentaine de mètres. *(N.d.E.)*

Le 6 juin 1944 à l'aube, nous pouvons apercevoir la côte française alors que nous décrivons des cercles avant d'entamer notre percée vers la plage. Je vois les hommes de la première vague tomber sous le feu des mitrailleuses et des fusils. Je vois de nombreuses péniches de débarquement touchées sur l'eau, coulées ou renversées. Je vois ce qui advient lorsqu'une péniche de débarquement chargée de chars s'arrête à une trop grande distance de la plage, déchargeant ses chars qui coulent à pic... Je vois la jeep de mon capitaine Grzybek sombrer dans 100 pieds [1] d'eau juste après avoir quitté la rampe de débarquement, le forçant à nager jusqu'au rivage avec son chauffeur...

Je vois les hommes sortis des barges d'assaut, se débattant dans une eau trop profonde, essayant d'atteindre la terre ferme avant de se noyer... Je vois les quelques tanks arriver sur la plage se faire bombarder de plein fouet et se mettre à flamber avec leurs hommes d'équipage encore pendus à leurs tourelles... La plage de débarquement n'est plus qu'un cimetière dévasté, recouvert de morts, d'équipements hors service et d'autres vagues de soldats qui essayent de débarquer après nous. C'est la confusion totale. Les péniches d'assaut sont perdues, certaines trop loin du rivage, d'autres aux mauvais endroits ; des hommes sont séparés de leurs unités, beaucoup parmi eux sont touchés dans l'eau et meurent des suites de leurs blessures quand ce n'est pas en se noyant... Les hommes qui essayent d'aider les blessés ne parviennent qu'à être descendus à leur tour. Les salves d'artillerie, les tirs de roquettes, ceux des mitrailleuses et des fusils battent leur plein, entre les mains des Allemands qui dominent la plage. Il est évident qu'il nous faut absolument nous mettre à l'abri des rochers le plus vite possible et gagner le haut des falaises dès que nous y serons parvenus...

Dalmain Estes

* *

Alors que sur la plage où il débarque, 3 800 soldats américains vont être blessés ou perdre la vie, Dalmain Estes ne sait pas que sa jeune femme Mildred est juste en train de lui écrire une lettre d'amour, de crainte et d'espoir...

---

1. Environ 30 mètres. *(N.d.E.)*

Le 6 juin 1944, jour « J »

Mon chéri, mon adoré,

Quelle journée ! J'allais aller prendre mon bus quand papa m'a dit qu'il venait d'entendre à la boutique que le débarquement était en cours... Nous sommes rentrés ensemble à la maison pour écouter les nouvelles à la radio. Je n'ai pas le souvenir d'avoir eu si peur de toute ma vie... Maman et papa étaient scotchés à la radio ; je suis allée dans la cuisine pour pouvoir y pleurer tranquille un bon coup. J'ai prié Dieu pour qu'il ne t'arrive rien de mal et qu'il te ramène sain et sauf le plus vite possible à la maison. J'ai appelé Bud, la mère de mon père, mais elle n'était au courant de rien. À ce moment-là il était déjà trop tard pour aller travailler en bus, et j'ai emprunté la voiture de livraison. Au travail, tout le monde ne parlait que du débarquement en s'inquiétant pour ceux qu'ils aimaient. Quelqu'un n'a pas cessé d'appeler chez lui pendant toute la journée pour savoir s'il y avait du neuf. Il y a eu deux flashs d'information exceptionnels aujourd'hui, et nous nous sommes précipités à midi pour écouter l'un des deux... Mon chéri, je pense que tu as une idée merveilleuse en voulant monter un shilling sur une bague pour me l'offrir. Si j'aime cette idée, c'est que tu n'as jamais eu ce genre d'idée avant. Cela ne fait que prouver ce que j'ai toujours pensé. Tu peux tout faire si tu en as la volonté. Je pense – en fait j'en suis sûre – que j'ai le meilleur mari de la terre. Bonsoir, mon amour. Je suis très fière de l'homme que j'aime. Je t'en prie, prends soin de toi !

Je t'aime. Je t'aime. Je t'aime.

Ta femme

Mil

**

Tout cela semble irréel, comme un cauchemar éveillé ; les hommes crient et meurent tout autour de moi. Allongés derrière le mur nous ne pouvons détourner notre regard de l'infanterie. Les hommes courent à travers la colline en un flot incessant, les morts et les mourants s'empilent derrière eux. On pourrait quasiment marcher sur toute la longueur de la plage sans toucher le sol jonché de corps. La mort rôde ; elle est partout ; elle nous entoure.

Melvin B. Farrell

William Marshall a 19 ans. Les heures les plus chaudes du débarquement font très vite de cet élève ingénieur un spécialiste du déminage...

Ayant pris une conscience aiguë de ma propre finitude, j'apprécie toute possibilité de camouflage devant le danger et je voudrais que mon casque soit suffisamment grand pour y cacher mon corps tout entier. Durant l'entraînement, je pensais que l'explosion d'une grenade était forte, mais les détonations des obus qui explosent maintenant autour de nous sont bien plus violentes et masquent les autres bruits. Je m'y habitue. Entre les salves, je peux entendre le « pop » des armes individuelles et les cris des blessés qui appellent au secours. Parfois le hurlement d'ordres isolés surmonte ce fracas, mais le plus souvent c'est le « swisch » et le « boom » de l'artillerie ennemie et l'odeur pénétrante de cordite, qui saturent mes oreilles et mon nez. Je ne peux éviter des cadavres en courant sur la plage. La boucherie d'Easy Red est pire que tout. Des cadavres, que la mer a rejetés au bord des dunes, sont couchés en tous sens, dans toutes les positions imaginables, cadavres abandonnés sans dignité. Certains isolés, d'autres regroupés. Ils représentent tous les échelons de service, depuis le simple soldat jusqu'au grade le plus élevé ; ils illustrent l'adage suivant lequel, dans la mort, tous sont égaux. La mort ne fait pas de discrimination, c'est le plus grand niveleur qui soit. Il y a là un homme tout nu : son corps blanc, sans la moindre blessure, est complètement dévêtu ; il ne porte même plus de chaussures. Plus bas sur la plage, il y a la rampe abaissée d'un LCI échoué, remplie de cadavres de soldats, depuis le bas jusqu'en haut ; tous ont été tués ensemble en débarquant ; ils sont couchés sur la rampe, empilés jusqu'à deux, trois, les uns sur les autres ; ceux qui sont en bas sont coincés par ceux qui sont au-dessus. À un autre endroit, je ne peux éviter de marcher dans une flaque de sang provenant de la blessure à la tête d'un matelot mort : flaque assez profonde, atteignant la cheville. La vision la plus insoutenable, c'est quand même la découverte d'une plaie rouge hideuse : lorsque, après avoir contourné un blindé abandonné, je fixe avec épouvante une cage thoracique béante séparée de son corps. Le corps est coupé en deux, en diagonale, depuis l'aisselle gauche jusqu'à l'extrémité inférieure des côtes. La partie supérieure, viscères inclus, a disparu ; la partie inférieure, trop visible, est tout près devant moi, avec les chaussures brunes et si caractéristiques des GI's. Le contenu des viscères sur le sable indique le stade de la digestion. Toutes ces images sont fugitives, car je cours désespérément pour éviter de devenir comme l'un de ces cadavres. Je suis trop soucieux de sauvegarder mon propre corps et d'atteindre mon but pour me laisser aller au voyeurisme.

William Marshall

* *

Le lieutenant américain Robert Huch débarque sur Easy Red le 6 juin 1944, après avoir été de tous les combats précédents, en Afrique du Nord et en Sicile. Il a 21 ans.

Le tir des mitrailleuses est très intense. Il est impossible de localiser l'origine des rafales, mais elles semblent venir de partout... L'eau est profonde et la seule chose à faire est de s'y engouffrer... Pendant tout le temps que je passe dans l'eau, les balles percutent les vagues juste sous mon nez et tout autour de moi... Je passe en revue le moindre des péchés que j'ai pu commettre dans ma courte vie et je crois n'avoir jamais prié aussi intensément... je continue à marcher étant convaincu que je n'arriverai jamais jusqu'au bout... En fin de compte et contre toute attente j'y arrive ; ce n'est pas le cas pour un grand nombre de mes compagnons... Sur le rivage, la plage est constellée d'obstacles – nous débarquons à marée basse... 400 yards [1] nous séparent du haut de la plage. Il y avait une dune qui fait à peu près 3 pieds [2] de haut. C'est le seul endroit à couvert depuis que nous avons quitté le bateau. La seule chose à faire, c'est de traverser la plage sous le feu ennemi et de s'y réfugier, mais c'est provisoirement impossible. La plage est sous le feu croisé des mitrailleuses allemandes qui la balayent depuis les points fortifiés placés sur les hauteurs. Je progresse sur environ 30 yards [3] et je me

---

1. Environ 365 mètres. *(N.d.E.)*
2. Environ 90 centimètres. *(N.d.E.)*
3. Environ 27 mètres. *(N.d.E.)*

plaque sur le sol : les balles viennent de partout... Quand je heurte le sable, une balle transperce mon sac, ma radio et son antenne. À un autre moment, c'est un obus de mortier qui éclate à 10 pieds[1] de moi. Le souffle m'assomme pendant quelques secondes. Finalement je parviens à atteindre le front de mer ; je suis le premier de la vague d'assaut à le faire et je n'arrive pas à comprendre par quel miracle j'y suis arrivé ! Je me retourne alors pour observer la façon dont ma section essaye de s'en sortir : le spectacle est horrible... Il y a des hommes qui meurent un peu partout... Les blessés sont incapables de bouger et commencent à se noyer dans la marée montante. Et comme les péniches d'assaut brûlent, ils n'ont plus aucune possibilité de refuge... 80 % de nos armes – y compris la mienne – ont été mises hors service par le sable et l'eau salée... Les Allemands sont encore dans leurs blockhaus, et avec les obus qui continuent à pleuvoir, le front de mer n'est pas l'endroit rêvé... Finalement nous trouvons le moyen de liquider les blockhaus allemands.

Robert Hutch

* *

Léo Gariepy, pilote l'un des dix-neuf chars Sherman amphibies lancés à l'assaut de la plage de Courseulles... Quinze chars coulent avec leurs équipages avant d'atteindre la plage.

Nous lançons nos chars à l'eau comme prévu et nous tournons en rond, essayant de pratiquer les manœuvres que nous avons apprises à l'entraînement. La mer est trop agitée...

C'est alors que je décide de mettre le cap sur la plage, (je ne sais pas nager). Nous sommes environ à 4 kilomètres au large ; le mouillage est très difficile à cause de la furie du vent.

Dix-neuf chars... Alors que tout semble se passer normalement, je vois derrière moi un char couler, ensuite deux autres, complètement envahis par les vagues qui montent à une hauteur alarmante ; je continue mon chemin en crabe ; l'ennemi tire beaucoup à la mitrailleuse mais très peu d'obus de gros calibre. Les mitrailleuses n'ont pas d'autre effet sur un char qu'un crépitement désagréable... Quand mes chenilles touchent le sable, je m'aperçois que sur les dix-neuf

---

1. Environ 3 mètres. *(N.d.E.)*

chars partis du bateau, nous ne sommes plus que quatre ; les autres ont sombré...

Alors commence la tiédeuse tâche de descendre les mines « Teller » qui jonchent le trajet que je dois parcourir pour approcher ma cible, un blockhaus sur la digue. Les mines sont détruites avec un fusil que je manie debout sur la tourelle. Fil de fer barbelé, asperges de Rommel, chevaux de frise, portes Maginot : tout le barda que l'ennemi a échelonné sur la plage ralentit notre approche mais tant de choses dépendent de nous que nous n'avons pas le temps de songer à notre sécurité individuelle et nous, les quatre chars, savons que nous sommes plus nécessaires que jamais à cause de notre nombre réduit...

J'arrive finalement à 10 mètres de ma cible ; le blockhaus tire de plus belle mais je suis trop près de lui pour lui offrir une cible : ses obus passent au-dessus de ma tête. Je place deux obus dans la gueule du canon pour déranger son tir et, faisant le tour de la défense, je défonce la petite porte métallique derrière et engouffre six à huit obus explosifs dans l'écorchure. Les quatorze bonshommes dans le blockhaus sont réduits en bouillie, sur le mur, le plafond, partout...

Léo Gariepy 🍁

* *

Charles Stockell a 22 ans. Étudiant et journaliste, ce fils de magistrat élevé à Washington se porte volontaire afin de se montrer digne de son père, vétéran de la Première Guerre mondiale.

Nous levons le camp à l'aube. Nous venons de parcourir 1 000 yards[1] quand un obus de mortier de 60 mm éclate à un mètre de moi. J'ai l'impression d'avoir été violemment frappé par quelqu'un. Beaucoup de sang sur mes vêtements mais pas de dommage réel si ce n'est sur mes revers. Tout le monde court et nous enjambons des mines antipersonnelles. Je suis à nouveau touché ainsi que trois de mes quatre hommes. Il n'y a plus de support d'artillerie. J'ai vingt-sept impacts dans le dos ; certains font un pouce et demi[2]. Daley est touché au bras et au côté. Pendant que j'écris mes notes, ils cherchent un brancardier. Il n'y en a pas. Ils m'aident à

---

1. Environ 100 mètres. *(N.d.E.)*
2. Environ 4 centimètres. *(N.d.E.)*

atteindre la route à 300 yards[1] de là. Ils trouvent une jeep de ravitaillement. Ils m'allongent sur la bâche. Évanoui. Je me réveille le lendemain à l'hôpital. Quelqu'un a volé mes bottes de saut et mon pistolet pris aux Allemands.

Charles W. Stockell

* *

Nous devons débarquer sur la plage au pied de la Pointe du Hoc, grimper au sommet de la falaise de 30 mètres de haut avec des échelles en cordes projetées par des lance-roquettes contre la paroi de la falaise et à détruire les six canons français de 155 mm qui sont capables d'atteindre des cibles le long des plages d'Omaha et d'Utah où le débarquement va avoir lieu. Nous avons une heure environ pour débarquer, sécuriser la falaise et préparer une défense avant que le débarquement ne commence.

Nos mains sont engourdies par l'eau glacée et il n'est pas évident de s'agripper au cordage mouillé. Heureusement pour nous, deux hommes y parviennent de l'autre côté de la falaise et tiennent les Allemands à distance pendant que le reste de nos hommes se rue vers le sommet. L'ennemi ne nous rend pas la tâche facile ; il coupe quelques-unes des échelles, jette des grenades par-dessus le bord de la falaise et mitraille nos troupes pendant qu'elles escaladent la paroi rocheuse. L'artillerie lourde de l'US Navy a fait du bon travail, réduisant la puissance de feu ennemie avant notre débarquement, et les trous d'obus en haut de la pointe du Hoc sont tellement gros qu'ils me rappellent les cratères de la Lune. Nous utilisons ces trous pour nous mettre à couvert. À la fin de la journée, sur les 225 rangers qui ont touché le sable de la plage, il n'y en a plus que 90 en état de combattre.

Carl Edward Bombardier

* *

Le colonel prend la tête de l'assaut et je reviens sur la plage pour rassembler les survivants. Je n'ai pas peur mais je suis totalement lessivé et j'en ai plein le dos... La plage n'est qu'une vision d'horreur, constellée de blessés qui appellent à l'aide. Je veux sortir un corps de l'eau mais l'homme

---

1. Environ 270 mètres. (N.d.E.)

semble déjà mort et l'urgence m'appelle ailleurs : les méde-cins feront leur travail... Je retrouve une partie de mes hom-mes tapis à l'abri de la carcasse d'un tank qui a été touché et je leur ordonne de se sortir de là et d'aller se mettre à l'abri au QG. Je me sens un peu stupide lorsque je me rends compte que la plupart sont morts ou gravement touchés. Avec ceux qui sont encore valides, je réussis à peine à reconstituer la moitié d'une équipe radio, et je vais à la recherche d'autres survivants.

Hugh Bone

* *

Nous sommes suffisamment près de la plage pour baisser la rampe et décharger le char. Mais juste à ce moment-là, avec la violence d'un coup de foudre, un obus explose sur la gueule du canon, blessant le canonnier et ses servants. La force du souffle blesse et projette l'électricien sur le pont inférieur. Je me précipite hors du pont, cours sur la passe-relle pour évaluer les dommages. En l'espace de quelques secondes je regarde le pont inférieur et je vois que l'électri-cien est blanc comme un linge. Le canonnier et ses servants gisent sur le pont, blessés. Alors que je reviens vers la pas-serelle de commandement, un autre obus touche le bateau devant moi. C'est un autre coup au but dans la salle de timonerie. La porte est soufflée par l'explosion et les cinq hommes postés à la barre s'en échappent. Tous blessés. Du sang partout. Un autre obus nous atteint à bâbord. Je me rue à l'intérieur et, telle une déesse à six bras, j'inverse les moteurs, tourne la barre et active la radio dans un même geste. J'arrive à faire faire un demi-tour au bateau et à le mettre face à la mer, mais il m'est impossible de l'éloigner de la plage. Un autre obus vient nous percuter à tribord. Une multitude de blessés. Je pense d'abord que c'est l'ancre qui nous empêche d'avancer. Je me précipite pour nous libérer en coupant son câble. Ma vision périphérique me permet d'apercevoir deux incendies : l'un au milieu du bateau, l'autre à l'avant. Je n'ai pas le temps de m'en occuper et laisse à d'autres le soin de les éteindre.

Joseph Alexander

* *

Le premier camion qui franchit notre rampe heurte une mine et les véhicules qui sont à proximité s'enflamment. En un instant on n'entend plus que le son de cris inhumains poussés par les hommes du 175ᵉ qui essayent d'échapper au rugissement des flammes qui viennent de dévorer le corps de leurs camarades. L'un de nos officiers traîne l'un des malheureux soldats hors de cette zone de la plage jonchée de débris et le hisse sur un tank, le laissant aux soins des médecins qui commencent à détacher fébrilement les vêtements carbonisés de son corps. Un sergent dont la vareuse brûle longe en courant les camions en feu et plonge dans une grande marre d'eau, dégageant un petit nuage de vapeur... Nos médecins l'accueillent à bord et commencent à le soigner. Un grand panache de fumée noire se dégage des camions qui flambent et s'aperçoivent de très loin au large. Nous refermons les portes de la proue afin de ne plus avoir à constater les souffrances des hommes du 175ᵉ qui périssent dans les flammes. On peut entendre leurs cris sur toute la longueur d'Omaha Beach. La marée recouvre progressivement et pudiquement leurs cadavres noircis. Le cri de ces hommes rôtissant dans les camions d'Omaha Beach m'obsédera toute ma vie...

Anthony Leone

**

Partout, des camions, des tanks et des véhicules indéterminés en flammes... Des munitions ont été déchargées sur la plage. Je vois une pile de réservoirs d'essence de 5 gallons[1] : à peu près cinq cents réservoirs en tout. Ils reçoivent un coup au but. Tout explose et se met à flamber... Je n'ai jamais vu un tel chaos de toute ma vie. Mais malgré mes craintes, je ne vois personne perdre son sang-froid. Tout le monde est très calme sur la plage. Les hommes préposés à la circulation gèrent les embouteillages et guident les gens, leur assignant des zones de débarquement et leur montrant le chemin à suivre. Ils sont très pragmatiques. Ils règlent le ballet du débarquement tout comme ils le feront lors de la parade du 4 Juillet, lorsqu'ils seront de retour chez eux...

Oscar Rich

Stephen E. Ambrose, *The Climatic Battle of World War II*, Simon & Schuster, 2001

---

1. Environ 20 litres. *(N.d.E.)*

* *

Jackie a 10 ans en 1944. Son père la réveille à 5 heures du matin pour lui montrer le spectacle qui se déchaîne sur la plage de Lion-sur-Mer...

6 juin 1944

Nous passons une nuit épouvantable. Les bombes sont tombées sur la côte. Papa va voir sur la plage et nous crie : « Les bateaux anglais ! » C'est le débarquement. Nous descendons les matelas. Les affaires principales que nous mettons dans la salle à manger. Les matelas sur la table. Comme je traîne dans la maison, un coup formidable nous ébranle et vite nous nous mettons sous la table. Alors les bateaux anglais tirent. Les Boches ripostent. Les obus sifflent, éclatent au-dessus de nous, les éclats retombent lourdement, les vitres volent en éclats, les plâtras tombent, les fusils et les mitrailleuses crépitent, des nuages de fumée partent de partout. Nous ne nous entendons plus, notre dernière heure est venue. Soudain, les coups se font plus espacés, nous sortons. Hélas, tout est brisé. L'odeur de la poudre règne partout ; mais grâce à Dieu, la maison est debout. À la hâte, nous nous restaurons. Puis papa va voir Mme Dumont et nous revient en disant : « Elle a un Anglais blessé. » Nous allons le soigner, il me donne quatre bonbons et j'entends mon premier mot anglais : « *Thank you* »...

Jackie Landreaux ▌▐

* *

Michel Pesneau a 11 ans. Il habite à Carentan, à 12 kilomètres de Sainte-Mère-Église et à 15 kilomètres de la côte.

Mardi 6 juin 1944

Il doit être vers les 5 heures, quand mes parents me réveillent en raison de la violence et de la proximité accrue des bombardements. J'apprends – les yeux encore ensommeillés – qu'« ils ont commencé » il y a plusieurs heures mais que cela se rapproche. J'entends aussi ce qui devient le leitmotiv de la journée : « Ils ont débarqué. »

Vers 6 heures, cela se rapproche encore – des coups sourds et lointains alternant avec des explosions bruyantes et rapprochées (« des obus de marine », dit mon père), et comme nous sommes vraiment très près de la gare, qui constitue une cible éventuelle, mes parents décident d'aller se réfugier chez une amie, Mme Letan, rue du Port-au-Vin, à 800 mètres de là. Il faut dire que la construction, en briques légères, qui abrite au premier étage, au-dessus d'un entrepôt, l'appartement, tremble et tangue vraiment sous les coups. Dans le jardin une tranchée a été creusée le long du mur qui borde la place du Marché-aux-Pommes ; nous nous y réfugions car les bombes – ou les obus – semblent tomber tout près et la place est plongée dans un brouillard de fumée et de poussière. J'ai le temps de voir Gallo, un copain de classe, qui habite une ruelle qui donne de l'autre côté de la place, traverser la place en courant avec ses parents et ses frères et sœurs ; ils viennent s'abriter derrière un mur du jardin voisin du nôtre. Les enfants pleurent : leur maison a été touchée par une bombe.

Il paraît que « ce sont des torpilles ». Elles sont tombées principalement du côté de la route de Cherbourg, de l'autre côté de Carentan. Plusieurs maisons ont été détruites ; dans l'une d'elles une famille complète, les Lamy (les parents et leurs six enfants), a été tuée ; mon père les connaissait : le père travaillait dans la même entreprise que lui. Le maire, le Dr Gaillard, a été tué.

La journée se passe à essayer de récupérer dans les décombres ce qui peut l'être : bien en évidence sur le dessus, ironiquement intact, un jambon de Bayonne ramené par mon père, de Saint-Sever-sur-l'Adour, où il avait échoué lors de la retraite en juin 1940, et, à peine entamé, conservé pour des jours plus sombres ; mon costume de communiant, presque intact lui aussi, dont la perte supposée me désespérait.

Michel Pesneau ▎▎

**

Angèle-Marie Desguet a 22 ans. Son père est menuisier à Lion-sur-Mer et elle gère son courrier et ses factures tout en consignant sur un registre le journal fidèle des événements... Les obus forcent la famille à se réfugier dans une tranchée creusée dans le jardin...

Nous sommes dix dans une tranchée faite pour quatre personnes. Nous sommes serrés. Je ne suis pas rassurée.

Nous nous sommes mis à plusieurs à réciter notre chapelet. Les obus nous sifflent sur la tête. Il en tombe beaucoup dans les environs. Je pense qu'ils vont tous nous ensevelir...

À 9 heures, il y a une accalmie, puis cela recommence jusqu'à 11 heures à peu près. Nous apprenons dans la matinée que ma grand-mère a été tuée. Mon père va la voir et il fait ensuite son service de défense passive. Il nous dit que les Anglais arrivent en masse dans le pays avec leur matériel. On sait qu'ils ont débarqué à Lion vers 10 heures.

Notre maison reçoit quelques éclats d'obus. Il y a beaucoup de dégâts à Lion. Il y a jusque-là quatre morts et quelques blessés. Les soldats anglais font des tranchées derrière notre maison, dans la luzerne. Ils sont habillés en kaki, ont un béret vert, un casque et ils ont la figure toute maquillée de taches noires. Ils envahissent notre maison et mangent des œufs et des fraises qui sont sur le buffet. Papa va et vient. Il emmanche des pelles et des pioches pour les soldats. La séance recommence jusqu'à 15 heures. Un obus allemand tombe près de l'atelier. Je ne peux pas manger ; je prends juste un peu de lait, avec beaucoup de mal, dans l'après-midi. Tous nous sommes obligés de coucher dans la tranchée. Nous ne sommes plus que six et notre chien a très peur çar les canons tirent et les avions passent. Nous mettons des matelas dans le fond, mais nous ne sommes pas bien. Le soir vers 9 heures, il passe de nombreux avions volant bas, qui transportent des parachutistes qui s'en vont atterrir à l'arrière de la côte. Il y a aussi des saucisses (ballons allongés) qui survolent les bateaux qui sont tout le long du rivage. Cet après-midi, il est tombé dans la mer près de chez nous un obus qui a fait un très large entonnoir. La canalisation d'eau est crevée. La nuit est très calme. Je dors un peu. Les Anglais ont dû avancer puisqu'on n'entend plus les canons.

Angèle-Marie Desguet

* *

Gaston Decroix a 64 ans. Il a été déplacé avec sa femme dans une villa de Ouistreham, plus éloignée de la mer, pour des raisons de sécurité. Prévu d'abord pour être une lettre écrite à sa fille Christine restée coincée à Caen, son journal intime est écrit sous les bombes à la machine à écrire.

Riva Bella, 6 juin 1944

Il est 9 h 30 du matin, et après une nuit fort agitée, nous vivons quelques heures d'angoisse serrés l'un contre l'autre et continuellement secoués comme des pruniers, entourés de bombes d'avion qui tombent de toutes parts et d'obus projetés par la flotte britannique que des voisins nous avaient dite être au large. Un moment, la perspective d'un prochain débarquement nous soutient, mais quand nous sommes aussi assourdis que secoués par des explosions continues, provenant sans doute de dépôts de munitions, croyant la maison tomber sur nos épaules et invoquant le Seigneur, je t'assure que nous n'en menons pas large. Et les minutes nous paraissent des heures. Les nuages de fumée se rapprochent de nous de plus en plus et la DCA se mêle à ce concert infernal. La porte qui fait communiquer la cuisine et la petite chambre contiguë se coince, nous barrant le passage d'ailleurs inutile. Du plâtre tombe au premier sur le lit de Christiane, un éclat dans la cour ; des tuiles chavirent sur le garage et peut-être sur la maison même, car nous n'osons pas encore nous exposer au hasard des bombes et je t'écris cela sans savoir ni si ma lettre partira jamais, ni si la maison et nous-mêmes résisterons à une offensive aussi furieuse. Nous guettons une accalmie pour nous procurer de l'eau dans un puits voisin, mais viendra-t-elle dans quelques heures, dans quelques jours ou dans quelques mois, et la vivrons-nous ? C'est ce que nous pouvons nous demander aujourd'hui.

Gaston Decroix ▦ ▦

* *

Antoine et son frère Jean-Marie Magonette passent les années d'Occupation au petit séminaire de Caen... Le 3 juin 1944, ils se séparent pour la première fois de leur vie. Antoine rentre à Honfleur, Jean-Marie reste à Caen pour passer un examen afin d'entrer au séminaire de Bayeux...

Le mardi 6 juin 1944, je suis couché dans la maisonnette. Il est 4 heures du matin. Un grondement puissant me réveille. C'est un bombardement. Mais ça dure, ça dure encore. Je me lève. Je vais voir dehors où cela peut bien se passer. Et stupéfaction, au nord, vers la côte, de Cabourg jusqu'au bout de l'ouest, tout est en feu. Et le tonnerre gronde, et cela continue sans cesse. Je reste interdit à regarder, à entendre, à sentir aussi les odeurs indéfinissables que le vent de la mer apportait jusqu'à moi. Je retourne à la maison et je réveille Lucien et Andrée : « C'est le débarquement ! c'est le débarquement ! » Cela ne peut être que le débarquement. Nous sommes à environ 25 kilomètres à vol d'oiseau de la côte, et pourtant le spectacle est ahurissant. D'un bout à l'autre, l'horizon est orange, rose, blanc, avec souvent des flashs de magnésium qui, malgré la distance, m'éblouissent presque. Et le fracas, puissant, impérial, arrive jusqu'à nous, incessant. Le ciel, très bas, est embrasé dans le petit matin encore sombre et engourdi, les nuages reflètent cet incendie splendide et redoutable que personne n'aurait pu imaginer. C'est une descente aux enfers dont nous ne sommes que les spectateurs lointains, mais qui annonce combien de victimes lucides ou ébahies.

Au séminaire, le mardi 6 juin, vers 5 heures du matin, les SS envahissent la maison et, *manu militari*, font évacuer tout le monde. Mon frère Jean-Marie part et ne peut rien emporter. Ils sont ainsi une trentaine, élèves et professeurs, à être mis à la rue. Ils vont se diriger vers le collège Sainte-Marie, rue de l'Oratoire, pour y trouver refuge.

Les B24 « Liberators » (quel nom !) de la 8ᵉ US Air Force sont venus à 13 h 30. Soixante-treize forteresses, 156 tonnes de bombes, pour détruire les ponts. Et les bombes sont tombées à 700 m de leur objectif, sur le quartier où Jean-Marie se trouvait. Mon frère fut écrasé par un mur. Il fut tiré de là. Le père Yard l'accompagna sur sa civière jusqu'au Bon Sauveur. Jean-Marie est mort en cours de route, un sourire aux lèvres, tenant dans sa main celle de son confesseur et ami, le père Yard.

Au Bon Sauveur, c'est la panique. Y arrivent des blessés, des mourants, des morts. Le corps de Jean-Marie est immédiatement porté à la morgue. C'est une grande pièce aux murs blancs et nus, et sentant fort le chlore. Elle est séparée des bâtiments par un couloir de quelques mètres. Les morts sont allongés par terre, côte à côte, comme des enfants bien sages. Au début, l'on a pu les envelopper de toile antigaz — il ne faut évidemment pas parler de cercueil. Mais ils deviennent vite trop nombreux, vingt, trente, quarante, et on les met là, tels qu'ils sont, avec, attaché autour du cou, un simple numéro d'ordre. Le corps de Jean-Marie va porter le n° 4. Ce n'est que le 8 juin qu'il pourra être inhumé dans la fosse n° 1. Avec Jean-Marie, cinq autres élèves du séminaire ont été tués.

Antoine Magonette, ▊ ▊
Le ciel est trouble, France Éditions, 2002

* *

Denise Harel a 14 ans. Ses parents tiennent l'épicerie-café de Thaon. Elle délaisse sa famille pendant la semaine, pour poursuivre ses études en 4ᵉ à Saint-Prieur, à Caen, où elle est en pension chez sa cousine Thérèse.

On entend rôder les avions... Boum... une bombe tombe rue Saint-Jean à 150 mètres environ de la maison, je saute de mon lit, mon cousin en fait autant ; nous nous dirigeons tous dans le cabinet de toilette, je suis placée juste face à ma cousine qui m'envoie son dernier sourire, car une deuxième bombe tombe sur la maison voisine de la nôtre : le cabinet de toilette, la chambre de mon cousin et une partie de la cuisine s'effondrent ; seules la salle à manger et ma chambre résistent. Thérèse (ma cousine), Babeth et moi, nous sommes sous les décombres. Seul, mon cousin Joseph, qui n'a presque pas été touché, se trouve sain et sauf.

Babeth crie : « Mon Dieu, mon Dieu, ayez pitié !... » Quant à moi je supplie mon cousin de me dégager le plus vite possible. Ma cousine Thérèse ne dit rien ; elle est à côté de moi et son bras droit entoure ma taille.

Mon cousin dégage Babeth qui n'est presque pas ensevelie, mais ma cousine et moi, nous sommes tombées jusqu'à la cave, et nous avons sur nous deux étages et le grenier.

Je crie fort, très fort, et mon cousin repère l'endroit où je suis. Enfin, voici les hommes de la défense passive. Mon cousin leur dit : « Il y a une jeune fille de 14 ans qui est encore vivante, tirez-la le plus vite possible. Il y a aussi ma femme, pauvre Thérèse !... »

Le déblaiement commence, les hommes de la défense passive se servent de pelles pour aller plus vite.

Je me fais entendre de plus en plus, les hommes me disent : « Courage, ça y est bientôt. » Un homme de la défense passive dit : « Voilà un bras », mon cousin accourt : « Oh ! c'est celui de ma femme, maintenant c'est fini. — Mais non, mon brave monsieur, réplique un autre, courage ! »

Il me semble y avoir beaucoup de difficultés pour me débloquer, car il y a un plancher sur mon dos. J'entends crier : « Une scie, vite, une scie, il y a un plancher sur la jeune fille ! » Ils se mettent à scier, mais au fur et à mesure que le bois se fend, il y a des pierres qui me tombent sur la tête. Je recommence à crier : « Dépêchez-vous, je souffre. Ma bouche est pleine de gravier et de terre et je ne peux presque plus respirer. » Enfin mon dos et ma tête commencent à être dégagés. Ouf ! quel soupir de soulagement !... Mes bras sont déblayés sans trop de mal, mais on dirait deux vieilles loques, ils étaient sans force.

Enfin, ça y est. On me met sur un brancard et on me transporte en face la miséricorde où l'on me donne les premiers soins.

Denise Harel ▌▌

* *

J'ai débarqué le 7 juin. Ce jour-là, tout ce qui pouvait flotter était ballotté par le ressac : masques à gaz, sacs à dos, matériel médical, cadavres, débris de corps humains, pneus de rechange, multitude d'objets de toute nature. Nous subissions un feu d'artillerie sévère tiré par les batteries côtières ennemies qui n'avaient pas encore été détruites.

James Branch 🇬🇧

* *

Le major britannique Edward Rhodes Hargreaves débarque le 6 juin sur Sword Beach ; il intervient alors sur les plages pour soigner les blessés jusqu'à ce que son unité retrouve sa vocation première : le ravitaillement en eau des troupes.

7 juin 4.30 p.m.

Nous restons sur place, moi et le major Stevenson, afin d'aider à monter un hôpital de fortune sur la plage. Deux des trois médecins qui auraient dû s'y trouver ont été blessés. C'est un sacré travail de rassembler les blessés et de les diriger vers les points d'évacuation, en ayant à sauter sans cesse dans les trous creusés sur la plage pour échapper à l'impact des obus. On a vite fait de s'habituer au sifflement des obus et de ne se mettre à l'abri que lorsque le bruit signifie que l'obus va nous tomber dessus. Le problème, ce sont les mortiers. Leurs projectiles ne font pas de bruit. Ils se contentent de nous tomber dessus.

Les blessés sont triés sur la plage en fonction de la gravité des cas : évacuation, soins sur place, simples traumatismes consécutifs aux éclatements d'obus. Très curieusement pendant tout ce temps, je n'ai peur à aucun moment. Il y a une accalmie à 6 heures de l'après-midi. La péniche sur laquelle nous sommes arrivés (et qui nous a débarqués à 30 yards[1] de l'endroit normalement prévu) est à présent échouée sur la plage et entourée de toutes les bicyclettes perdues pendant le débarquement. J'en prends une pour rejoindre l'ambulance et revenir avec le caporal Yewdell et l'un de ses hommes pour venir en rechercher d'autres. Alors que nous venons de parcourir 50 à 100 yards[2], le caporal Yewdell se fait descendre par un *sniper*. Dieu merci, sa blessure n'est pas trop grave : il a reçu une balle dans la fesse. Je le ramène à l'hôpital de la plage et je le vois se faire évacuer vers la côte anglaise. Je vais me tapir au fond de la tranchée vers minuit. C'est une nuit d'enfer.

** *

Iris Carpenter est une journaliste anglaise. Elle couvre le Blitz à Londres puis doit s'exiler aux États-Unis pour devenir le correspondant de guerre qu'une femme ne peut devenir dans son pays d'origine. Couvrant la bataille de Normandie pour le Boston Globe, *elle va être traduite devant un conseil de guerre pour avoir fréquenté le front « sans autorisation » !*

Les blessés avaient tous fait partie de la première vague d'assaut sur la tête de pont près d'Isigny et dans la campagne qui bordait les plages. Ce n'était pas un objectif facile à enlever. Les mitrailleuses fauchaient les hommes qui couraient et rampaient vers le peu de terrain qu'ils trouvaient à couvert. Il y avait de nombreuses blessures à la tête et au

---

1. Environ 27 mètres. *(N.d.E.)*
2. Environ 45 à 90 mètres. *(N.d.E.)*

thorax. De mauvaises blessures... En plus des nids de mitrailleuses, le secteur était truffé de mines. Et les blessures causées par l'explosion des mines sont encore plus effroyables que tout ce que l'on peut imaginer... Sur ce bateau, il fallait que trois chirurgiens opèrent de façon simultanée. Un blessé pour chaque chirurgien... Ils avaient été installés dans le réfectoire de l'équipage, utilisant les tables en guise de blocs opératoires et la cuisine en guise de salle à pansements...

J'ai dit au cuisinier que je préférais manger à même le sol plutôt que sur un bout de table pendant que l'on pansait les blessés de l'autre côté... Le major McCanmon avait pratiqué deux amputations de la jambe la nuit du jour J...

Iris Carpenter 🇬🇧
Source : collections Mémorial de Caen

* *

On prenait le temps d'enterrer les hommes mais il y avait des cadavres d'animaux partout. Je ne sais pas pourquoi la vue du pelage d'un mouton gisant en boule sur le côté, raidi par la mort, ou celle d'une vache dont le cou était tendu vers le ciel avec ses plis flasques, ou celle d'un cheval, les quatre pattes raides comme fichées dans un ventre ballonné, soulignaient plus encore les horreurs de la guerre que ne pouvait le faire la vue des hommes qui en étaient victimes. Je sais seulement que c'était ainsi, sans doute parce que les animaux sont innocents et ne peuvent en aucune manière être tenus pour responsables de la guerre.

Iris Carpenter, *No Woman's World*, 1946 🇬🇧
Source : bibliothèque de l'Université de l'Ohio

* *

Ernest Pyle a 44 ans lors du débarquement. Ce fils de fermiers de l'Indiana est entré dans la vie active sans aucun diplôme. Correspondant de guerre en 1944, il a reçu le prix Pulitzer et ses reportages sur la fin de la Seconde Guerre mondiale ont été publiés dans plus de trois cents journaux à travers le monde. Ernie Pyle sera tué par un sniper *japonais en faisant son métier de journaliste, le 18 avril 1945...*

Je marche, le long de cette côte historique de Normandie, dans le pays de France. C'est un beau jour pour se promener sur la grève. Des hommes dorment dans le sable à côté d'autres hommes qui dorment pour toujours. D'autres flottent sur la mer, mais ils ne savent pas qu'ils sont dans l'eau : ils sont morts. Les vagues charrient une multitude de petites méduses molles de la taille d'une main d'homme. Au centre de chacune, un petit dessin vert qui ressemble à s'y méprendre à un trèfle à quatre feuilles. L'emblème de la chance. Pour sûr que oui, on en a eu de la chance ! Zut alors ! Je marche sur cette longue côte, témoin de notre débarquement, pendant un mile et demi[1]. Je marche lentement car des détails innombrables accrochent l'œil sur cette plage.

C'est ahurissant de voir une telle quantité d'épaves.

Sur la plage elle-même, au sec, il y a toutes sortes de véhicules transformés en ferraille. Il y a des tanks qui venaient d'atteindre la plage quand ils ont été mis en pièces. Il y a des jeeps calcinées, d'un gris terne. Il y a d'énormes grues montées sur chenilles échouées près du but. Il y a des chenillettes chargées de fournitures de bureau, réduites en ferraille par un seul obus ; on y voit encore tout un assortiment, maintenant inutile, de machines à écrire, de téléphones, de classeurs pulvérisés.

Il y a des péniches lourdes complètement renversées, la coque en l'air ; je n'arrive pas à comprendre ce qui leur est arrivé. Il y a des bateaux empilés les uns sur les autres, leurs coques enfoncées, leurs portes arrachées.

Dans ce musée du carnage sur la grève, il y a des rouleaux de fils barbelés, des excavatrices écrasées, de gros tas de ceintures de sauvetage et des piles d'obus qui attendent toujours d'être transportés. Dans l'eau flottent des radeaux vides, des sacs de soldat, des boîtes de rations et de mystérieuses oranges. Sur la plage gisent des rouleaux de fils téléphoniques emmêlés, de gros rouleaux de carpettes d'acier, des tas de fusils, brisés, rouillés.

Il y a sur cette plage, perdus à jamais, assez d'hommes et de matériel pour mener une petite guerre. Mais nous pouvons nous offrir ces pertes. Nous pouvons nous les permettre puisque nous avons réussi à débarquer. Nous avons une

---

1. Environ 2,5 kilomètres. *(N.d.E.)*

base et, derrière nous, nous avons de quoi remplacer ces débris sur la plage ; des investissements si énormes qu'il est presque impossible d'en concevoir le coût. Les hommes et l'approvisionnement coulent de l'Angleterre en un fleuve gigantesque qui fait paraître les débris, sur la plage, insignifiants. Cela ne compte pas du tout.

Mais il y avait d'autres épaves, plus humaines. C'est une longue ligne mince, longue de plusieurs milles et qui ressemble à la ligne de varechs laissée par la marée haute. C'est l'équipement individuel qui s'est échoué là, un équipement dont ceux qui se sont battus et qui sont morts pour nous permettre de prendre pied en Europe n'auront jamais besoin.

Là, en une longue rangée désordonnée de plusieurs milles de long, il y a des sacs de soldat, des chaussettes, du cirage, des trousses de couture, des carnets de notes, des bibles, des grenades à main. Il y a des lettres des familles, l'adresse soigneusement découpée au rasoir, une des précautions demandées par le règlement pour la sécurité des hommes avant leur embarquement. Il y a des brosses à dents, des rasoirs, des instantanés de la famille dont le regard fixe monte du sable vers vous. Il y a des portefeuilles, des miroirs de métal, des pantalons, des souliers abandonnés et sanglants. Il y a des pelles au manche brisé, des radios portatives en bouillie et des détecteurs de mines tordus et inutilisables.

Il y a des ceintures à revolver, déchirées, des seaux de toile, des paquets individuels de pansements, des tas de ceintures de sauvetage, pêle-mêle. Je ramasse une bible de poche ; elle porte le nom d'un soldat écrit à l'intérieur. Je la mets dans ma vareuse. Je la transporte pendant un demi-mile [1], puis je la pose sur la plage. Je ne sais pas pourquoi je l'ai ramassée, ni pourquoi je l'ai remise à terre. Les soldats transportent avec eux d'étranges choses. Dans toutes les invasions, il y a toujours un soldat débarquant à l'heure H avec un banjo en bandoulière. L'objet le plus ironique dans tout cet équipement éparpillé sur la plage (cette plage qui vit d'abord notre désespoir, puis notre victoire), c'est une raquette de tennis qu'un soldat avait apportée avec lui. Elle gît solitaire sur le sable, vissée dans sa presse, pas une corde cassée.

---

1. Environ 800 mètres. *(N.d.E.)*

Ce qu'on voit le plus souvent parmi ces débris, ce sont des cigarettes et du papier à lettres. Chaque soldat avait reçu une cartouche de cigarettes avant son départ. Aujourd'hui, des milliers de ces cartouches, trempées d'eau, des cigarettes éparpillées marquent la place où nous avons donné notre premier coup à l'ennemi. Le papier à lettres, les enveloppes par avion viennent ensuite. Les hommes avaient l'intention de beaucoup écrire en France. Des lettres qui ne seront jamais écrites et qui auraient rempli toutes ces pages blanches abandonnées ! Il y a toujours des chiens dans les invasions. Il y en a un sur la plage. C'est pitoyable de le voir encore à la recherche de ses maîtres. Il reste au bord de l'eau, près d'un bateau tordu et à moitié coulé. Il aboie avec espoir à chaque soldat qui s'approche, trotte allègrement derrière lui pendant quelques pas, puis sentant que, dans toute cette hâte, on ne veut pas de lui, il retourne en courant attendre ses amis dans son bateau vide. Par-dessus et autour de cette longue ligne, vestige de tant d'angoisses personnelles, des troupes fraîches déchargent toute la fabuleuse intendance indispensable au fonctionnement de nos armées qui progressent dans les terres. D'autres groupes d'hommes récupèrent, parmi les débris, l'équipement et les munitions encore utilisables.

Ernie Pyle

* *

Samedi 10 juin

La nuit est encore plus mouvementée que les précédentes, bien que les bombardements harcelants et pour ainsi dire incessants n'aient atteint à Riva Bella que les abords du boulevard d'Angleterre et de la rue Élie-de-Beaumont, où il n'y a plus qu'un amas de ruines. Nous avons décidé de dormir, ta mère et Mme Pailleux, sur un fauteuil dans la cuisine, moi-même tout habillé sur mon lit, mais en vue de gagner la cuisine si le tir devient trop proche. En fait, je fais la navette une vingtaine de fois, et à peine ai-je gagné le lit qu'à chaque tentative de sommeil, le concert recommence de plus belle, mais le sommeil est si impératif que nous dormons tous debout, nous contentant de réciter quelques prières quand nous nous fourrons à trois sous la table à croupettes et que nous avons l'impression d'être ivres. Je me cogne à tous les meubles.

Le 15 juin

Tout en étant fortement angoissé pour vous tous, nous le sommes aussi de l'angoisse que vous devez éprouver pour nous, et d'un silence qui doit vous peser, car c'est un miracle que, jusqu'ici, nous ayons passé au travers de bombardements qui auront été les plus violents de toute l'histoire et on est confondu de voir relativement tant de vivants parmi tant de ruines. La nuit passée a été l'une des plus dures et deux vagues successives d'une bonne heure chacune ont déversé leurs bombes dans divers quartiers de Riva, sans nous secouer peut-être autant que les précédentes, mais en faisant des dégâts considérables. En allant chercher mon pain, on m'informe que la maison de la rue Pasteur a été soufflée ; en réalité, la fenêtre du bureau a été projetée en avant avec tout ce qui l'encadre. Tout est grand ouvert, le lustre de la salle à manger est à terre, le toit crevé dans notre chambre, les portes et les fenêtres arrachées avec leur scellement, mais dans l'ensemble, la maison est debout, mais avec quel spectacle et quel amas de débris, et quelle poussière parmi tant de verre pilé ! Plus de façade aux Gais Lurins, une bombe est tombée à Dickie, la rue est obstruée par les grilles et les poteaux télégraphiques, les branches d'arbres projetées de tous côtés.

Le 20 juin

J'essaye de me remettre au piano, mais dans le salon dévasté et dans le courant d'air, le piano est devenu plus mauvais que jamais, et tout est empoussiéré de décombres. De plus, le tir des pièces allemandes rend ce quartier sinon dangereux, du moins désagréable.

26 juin

Quand je pense qu'en t'écrivant le 6 juin j'avais préparé l'enveloppe !!

2 juillet

Le délicieux petit Chapuis qui avait perdu son grand-père à Bénouville a été enseveli aux Jasmins et enterré hier sans famille, car la mère a été blessée et transportée à Bayeux sans être mise au courant. Nous avons été très émus, ta mère et moi, de cette mort navrante, le petit Chapuis étant le premier enfant qui ait été victime des bombardements et bien qu'il y en ait encore un certain nombre.

Gaston Decroix ▊ ▊

* *

Certes, un avion qui brûle sent mauvais mais c'est dans la logique des choses. Mais une modeste maison, une vieille demeure construite autrefois pour accueillir la paix, la joie, l'amour, et dont les poutres centenaires se consument lentement, ces meubles déchiquetés et ridicules, ces linges, ces draps, ces vêtements, ces matelas fumants et qui puent, abandonnés dans ces ruines... Liberté, liberté chérie, est-ce vrai ? Je ne sais plus.

Nous passons les nuits suivantes dans notre tranchée. Il faut se tasser les uns contre les autres, se protéger du froid et de l'humidité, et surtout protéger les enfants qui ne comprennent pas ce qui se passe mais comprennent qu'il y a du danger. Il faut rester assis coûte que coûte et tenter de se rassurer, de permettre aux enfants de dormir un peu. Nous entendons les détonations de coups de fusil, de rafales de mitraillette, de grenades. C'est parfois tout proche de nous, peut-être même dans notre petit chemin. Nous savons que des parachutistes ont été lâchés à l'aveuglette dans les alentours. Sans doute traînent-ils par là à la recherche de leurs compagnons. Et le grognement de la poudre, le grondement des tanks ou des camions, le sifflement des avions, les éclairs des explosions, tout nous étourdit et nous plonge dans une somnolence, une torpeur qui n'a rien à voir avec le paisible repos. Pendant la journée, il n'y a plus de coups de fusil, de mitraillette, plus de combat rapproché, comme si les combattants s'étaient terrés dans un trou, comme si rien ne s'était passé pendant la nuit. Mais au loin, le raz-de-marée de violence continue à s'imposer, et dans le ciel, les puissants avions, avec leurs ailes peintes pour la première fois de grandes bandes blanches, circulent dans tous les sens, malgré les nuages bas.

Antoine Magonette, *Le ciel est trouble*, op. cit. ▊ ▊

* *

L'un des aspects les plus terribles de cette guerre, c'est le spectacle des quelques civils qui restent désemparés dans les ruines de leurs maisons... Ils sont très gentils avec nous, mais les pauvres gens ont tout perdu... Le destin des animaux domestiques n'est guère plus enviable. Chiens pitoyables, effrayés, transis de peur, errant çà et là sur les ruines de ce qui fut leur maison. Jusqu'à présent, Dieu merci, je n'ai pas vu d'enfants.

Edward Rhodes Hargreaves 🇬🇧

Vendanges

La bataille de Normandie, été 1944

Le sang des enfants sanglés dans leurs uniformes, couchés sur les plages, décoiffés par la mort, le sang aspiré par le sable n'avait pas suffi. Le 6 juin n'aura été qu'un triste prologue... Parmi ceux qui n'étaient pas endormis sur la grève, beaucoup vont tomber dans l'herbe humide des prairies, au chevet des haies ou dans le creux des ruisseaux... Certains garderont figée sur leur visage si juvénile cette expression d'incrédulité qui caractérise l'étonnement devant la mort. Vendanges sanglantes.

Il fallut aussi que le sang des civils vienne ruisseler du grand pressoir de la guerre qui viendrait broyer les corps sous les bombes, sous les décombres des villes rasées. Avant que ne s'allument les lampions de la fête et de la liberté retrouvée, il fallut rechercher, ramasser, trier, essayer d'identifier les morts qui s'en iraient dormir parfois deux par deux, en bataillons trop serrés, sous le gazon bien entretenu des cimetières militaires. Combien de noms, de prénoms, de dates de naissance, gravés dans la pierre des tombes ou tatoués sur le bois des croix... Combien de corps déracinés, enfouis dans une terre étrangère, si loin de leur pays natal...

La bataille de France a commencé. Il n'y a plus, dans la nation, dans l'Empire, dans les armées, qu'une seule et même volonté, qu'une seule et même espérance. Derrière le nuage si lourd de notre sang et de nos larmes voici que reparaît le soleil de notre grandeur !

Général de Gaulle, BBC, 6 juin 1944

* *

Il y a des *snipers* partout : dans les arbres, dans les maisons, dans les tas d'ordures et d'épaves, dans l'herbe... Mais là où il y en a encore le plus, c'est dans les haies qui cloisonnent la totalité du Bocage normand et qui bordent la moindre route, le moindre chemin...

Ernie Pyle

* *

Mercredi 7 juin 1944

Vers 7 heures du matin, nous sortons de la tranchée. Il fait froid. Les Anglais ont quitté la maison. C'est dans un état impossible. Il y a beaucoup de carreaux de cassés. Nous avons décidé de coucher ce soir dans la cave d'une villa voisine. Je me crois davantage en sécurité dans une cave que dans une tranchée, un obus étant tombé à 6 ou 7 mètres de notre abri. Le canon recommence vers 8 h 30 : ce sont les bateaux qui tirent sur les blockhaus allemands de La Hève qui résistent. Il y a beaucoup de soldats anglais dans notre quartier ; ils vont et viennent. Ils sont venus chez nous pour voir s'il y avait des Allemands de cachés ; ils sont montés dans les chambres et ont regardé sous les lits et ils ont tiré à la mitraillette dans la cour. On n'entend que des mitraillettes. Je commence à faire le ménage et un peu de toilette ; les avions passent ; tout à coup j'entends un grand bruit et j'ai l'impression que la maison va sauter. Il me semble apercevoir de la poussière et des pierres qui tombent avec fracas. Je sors vite et je reçois comme un caillou qui m'a frappée à l'épaule. Je traverse la cour en courant et je me dirige vers le jardin où il y a la tranchée. Je m'étonne de ne pas voir mes parents. J'ai dû recevoir un éclat à la figure car je saigne au-dessus de l'œil. Je suis aveuglée. J'ai retrouvé mes parents qui n'étaient pas dans la maison avec moi. Maman a été blessée à la cuisse ; une bombe est tombée dans le passage près de chez nous. Le mur de la cuisine a cédé presque sur toute sa largeur et jusqu'au plafond.

Nous partons pour le poste de secours des « Cytises ». Dans la rue le spectacle est lamentable, les arbres sont cassés ainsi que les carreaux.

Papa va chercher du pain à la boulangerie. Ils en donnent un kilo pour nous trois. Les obus recommencent à tomber pendant qu'il est parti. Il y en a un qui tombe dans le quartier de l'église.

Je traverse la salle dans laquelle sont les blessés ; il y en a pas mal. Ils sont étendus sur des matelas avec des couvertures ; ils sont tristes et il y en a plusieurs qui paraissent mourants.

Il y a beaucoup d'Anglais aux « Cytises » et dans la rue ; ils ont des casques garnis de filets et de feuillages ; cela fait une drôle d'impression en les voyant...

Le spectacle que nous voyons sur notre passage n'est pas joli. La rue Marcotte est bien dévastée, les fils électriques, les arbres, tout est par terre ; il y a un grand trou de bombe dans une cour entre deux maisons fait depuis ce midi. Le quartier a un aspect sinistre, on ne voit personne.

La vie reprend peu à peu. Les gens ressortent et le lait revient dans les boutiques. Des hommes se débrouillaient pour trouver du lait dans les fermes pendant les combats pour les enfants ; certains trayaient les vaches eux-mêmes. Il y a eu beaucoup de bestiaux tués dans les champs.

Angèle-Marie Desguet ▓ ▓

**

En juillet 1944, Huguette Verdier vient de fêter ses 17 ans et habite avec sa mère et son frère à Colombelle, à 7 kilomètres de Caen... Son père est mort quand elle avait 12 ans. Elle a passé son brevet élémentaire en 1943 et travaille comme dactylo à la Pharmacie Danjou à Caen. Les civils sont réquisitionnés : Huguette lave du linge à Saint-Louis, une maison de retraite pour les pauvres...

8 juin

Un vacarme inhabituel me fait mettre le nez à la barrière. À 100 mètres de moi, sur la place des garages et de la vieille tour, une jeep, comme un bolide, fonce sur des soldats allemands qui s'affairent dans les parages. Les soldats de la jeep mitraillent sur leur passage. Le massacre dure peut-être dix minutes, peut-être plus peut-être moins et la jeep repart sur la route de Longueval. Beaucoup d'Allemands gisent à terre, morts. Les blessés, eux, sont emportés par leurs camarades indemnes. Après concertation, les hommes de la commune s'empressent d'aller ramasser les soldats tués, une vingtaine, semble-t-il.

Les cadavres seront alignés dans la salle des fêtes de la commune. Sur une des civières est étendu un lieutenant de corpulence imposante très lourd, tué d'une balle dans la tête ; sa montre, une belle montre en or, pend lamentablement. Un homme, d'un geste machinal, est tenté de s'en emparer, mais un autre homme replace la montre respectueusement dans son gousset, comme si cette montre pouvait encore servir à ce pauvre homme mort. Je commence à découvrir l'horreur de la guerre et la triste réalité que nous allons probablement tous mourir ici...

Huguette Verdier ▮ ▮

* *

Vendredi 9 juin 1944

Ces derniers temps, nous avons été mitraillés à deux reprises par des Fockwulf : ma première expérience en la matière n'a rien d'agréable ! La première fois, j'ai été surpris à découvert. Une douzaine de chasseurs ont jailli des nuages. Je me suis aplati contre le sol et Dieu merci je n'ai rien eu... Les deux premiers jours, quand je ne travaillais pas, j'étais en nage pendant les raids, mais on s'habitue vite... On se protège au mieux et à partir de là, je n'ai plus peur et je peux aller jusqu'à écrire une lettre ou à lire un livre... Je pense que la guerre est la chose la plus désastreuse que l'homme ait conçue, et qu'elle doit être évitée à tout prix, mais je préfère encore être un soldat au feu que de rester à l'exercice à l'arrière. Même si je ne peux pas travailler dans les règles de l'art, j'ai le sentiment de ne pas perdre mon temps, d'apprendre et de gagner de l'assurance jour après jour... Dans ce sens-là, je suis plutôt content de mon sort.

Ce qui me préoccupe, ce sont les animaux et les personnes

âgées... Les enfants sont moins touchés : ils jouent avec les soldats, sautent avec eux dans les trous de protection quand les avions allemands s'approchent. Il est curieux de voir que les civils, assez rares au début, émergent peu à peu des caves. On ne peut pas dire qu'ils voient la RAF d'un bon œil et ne sont pas vraiment ravis par le spectacle de leurs maisons ravagées.

J'écris cette lettre depuis un verger où nous nous sommes installés la nuit dernière. Il est magnifique, peut-être un peu plat à ton goût, mais très comparable à ceux du Kent, en beaucoup plus pittoresque. La pierre de la région est calcaire, aussi tous les vergers sont entourés de beaux murs assez élevés et dont le sommet est arrondi. La campagne avoisinante est parsemée de petits villages. Dans chacun d'eux, il n'est pas rare de trouver une ou deux maisons de campagne adorables.

Edward Rhodes Hargreaves 🇬🇧

* *

Vendredi 9 juin

La nuit arrive. La bataille s'engage de nouveau. Un obus tombe sur la maison. Le toit s'écroule dans un vacarme assourdissant, mais nous ne réalisons pas bien ce qui se passe, car toujours sous nos matelas, nous sommes sains et saufs. Quand je me risque dans ma chambre, située juste sous le toit, pour rechercher mes affaires, je retrouve, au milieu des décombres, ma chemise de nuit déchiquetée par les éclats d'obus. Bernard, qui habite à l'étage au-dessous, monte dans la sienne et y trouve deux balles de mitrailleuse. Il faut d'ailleurs faire une véritable escalade pour atteindre les étages encombrés de tuiles, de plâtras et de débris de charpente.

Solange de Cagny, Bernard de Cagny,
Jour J comme jeunesse, éditions Charles Corlet, 2003 ▮ ▮

* *

Voici la composition de la caravane de l'exode... Elle repart tous les matins sur les routes toujours dans le même ordre. Le « Charretis » plein à craquer conduit par Titine et Émile Sinel, son fiancé. Il contient tous les bagages et ravitaillement de la famille Cervelle : farine, jambons fumés ou salés, lapins et poules vivants, grains pour les animaux et le cheval, etc. plus tous les matelas et toutes les couvertures de tout le monde.

Gisèle traînant Tatave dans une poussette, avec Boby et une valise. – Bernard avec son vélo et une valise. Maman-Madeleine avec un landau profond rempli de vêtements dont son fameux manteau de fourrure. Alice Cervelle avec le landau de la petite Geneviève et sa fille aînée. Joseph Hardel avec trois vaches au début, puis lors de notre première étape, il est revenu en chercher deux autres. Les demoiselles Guillan, leurs bagages sur des brouettes – la mère Couepel avec une brouette. François Vivier soutenant sa brouette par un lien passant derrière le coup et sa femme. René Teny, bonne-maman et la mère Lebeurrier qui ont grand mal à marcher. Lorsque nous arrêtons pour souffler, bonne-maman se repose sur un pliant que François Vivier porte dans sa brouette. Nous sommes dix-huit en tout. Le long du chemin les gens nous offrent de l'eau, du lait, du cidre : « Tout ce que vous "berez", ce sera autant de moins pour les Allemands », disent-ils dans leur patois normand. On entend les vaches meugler dans les champs, parce qu'elles ne sont pas traites et qu'elles souffrent. C'est lugubre !...

Gisèle Guion ▒ ▌

* *

Le midi avant de dîner, on commença à percevoir au loin le bruit des mitrailleuses qui s'approcha assez rapidement.

Et l'après-midi, nous vîmes un triste cortège quitter la ferme : d'abord les Russes menant chacun quatre chevaux, les Allemands conduisant les chariots et enfin l'ordonnance en selle, menant le cheval de l'adjudant à côté du sien.

La mitraille s'approchait sans cesse. Maintenant on était sûrs que les Américains étaient arrivés à Moon. De fait un Américain embusqué dans le carrefour de Moon à environ 300 mètres de la ferme descendit d'une rafale de mitraillette un cycliste allemand qui, ne doutant de rien, roulait vers Lison. Peu après un camion allemand passa, allant dans la même direction. Au passage, le conducteur fut également gratifié de quelques balles et le camion privé de conducteur alla s'écraser dans la côte de Moon. C'étaient les premiers cadavres.

* *

Bientôt nous entendîmes un bruit de moteur sur la route et nous vîmes passer au bout de l'avenue une petite auto d'une forme jusqu'alors inconnue et qui montait vers Saint-Lô. C'était une jeep. Nous étions stupéfaits, croyant les Américains passés, quand une violente détonation, suivie d'un gros nuage de fumée vint nous détromper. Un tank allemand posté dans le carrefour avait tiré, la fumée montait toujours, la jeep brûlait.

Des deux occupants de la jeep un seul réussit à se sauver, à travers champs, ayant laissé une partie de ses habits brûlés sur le terrain. Il fut aperçu par plusieurs personnes, en caleçon et le brassard de la Croix-Rouge au bras, courant à toutes jambes vers les lignes américaines et il réussit. L'autre avait une jambe coupée, il avait également réussi à se déshabiller et s'était traîné 200 mètres dans le creux le long de la route jusqu'à la barrière des « Douves Raies », épuisé, à bout de sang. C'était très triste de voir ce grand gars, une jambe coupée au-dessus du genou, presque nu, seulement vêtu d'un slip, dans ce creux où il resta une dizaine de jours.

* *

Samedi 10 juin 1944

Nous avons eu de la viande aujourd'hui. C'est de la viande des animaux qui ont été tués par les bombardements et dont certains ont été donnés à la boucherie. Ce soir une suite interminable de camions anglais passent sur la route départementale. Ils se dirigent vers Luc. Le soir, avant de dormir, nous entendons le bruit de la bataille se rapprocher. Mais je ne pensais pas qu'ils puissent reculer. Je suis persuadée que le débarquement va réussir.

Les soldats des cuisines, à ceux qui leur demandent, donnent quelques provisions. J'ai eu un bon paquet de gâteaux, une boîte de margarine et une grosse boîte de conserve, trois morceaux de sucre, d'autres gâteaux, des Kub, quelques bonbons et des carrés pour faire du thé au lait sucré.

Angèle-Marie Desguet ▌ ▌

* *

Fernande Aveline a 41 ans en 1944. Elle habite à Dives-sur-Mer où son mari est cidrier. Ils ont trois enfants. La bataille de Normandie jette la famille sur les routes.

Dimanche 11 juin – 6ᵉ jour.

La boutique est pleine de monde. Un avion passe à ras des toits – quelques secondes – un fracas formidable – la glace de la boutique, côté cuve, tombe – nous nous rassemblons dans la salle puis sortons. L'avion allemand (?) poursuivi par des Anglais a lâché une bombe à 50 mètres d'ici sur un pavillon des Cités.

Les secours arrivent aussitôt.

La famille Andrieu, cinq personnes, tous tués ; deux hommes qui passaient dans la rue, tués ; des femmes blessées. Chez Goubin, un bébé et un jeune homme, tués ; autres membres de la famille, tués. Total, quatorze morts et cinq ou six blessés.

Les jeunes de la défense passive ont tous fait de leur mieux et rapidement déblayé et retiré les victimes.

Les gens sont consternés. La guerre dans notre coin est une réalité meurtrière qui nous guette tous, à toute heure, de jour et de nuit. Malgré nous, nous avons peur et pourtant notre secteur n'est pas le théâtre d'opérations. Ce ne sont que des accidents.

Fernande Aveline ▌ ▌

* *

Richard J. Hutchings a 22 ans en 1944. Né à Colombo, l'enfant, immergé dans le Devon à l'âge de 5 ans, a eu du mal à s'acclimater au climat de l'Angleterre et aux méthodes éducatives des internats britanniques. Il s'est toujours réfugié dans l'écriture pour oublier sa solitude. Incorporé à 18 ans dans un régiment de transmissions, il débarque en Normandie dans la nuit du 11 au 12 juin 1944.

12 juin

Je me réveille dans un champ de blé. Le soleil tape déjà et ruisselle sur les chemins poudrés d'or. Nous savons maintenant que nous sommes bien en France : un homme coiffé d'un béret se ballade dans une carriole tirée par un cheval, et vaque à quelque corvée champêtre, ignorant superbement notre présence, et faisant comme si nous n'avions jamais existé... Existons-nous vraiment ? Ou bien tout cela tient-il du rêve ? Je me demande ce que je ressentirais si je me réveillais de bon matin dans ma ferme (en imaginant que j'en possède une...) et que je découvrais une armée d'envahisseurs piétinant mon blé... Je devine bien les sentiments qui m'animeraient, mais je suis sûr que je ne daignerais même pas les exprimer... Je serais comme ce Français, moi aussi : je pense que je ferais mine d'ignorer les hordes d'envahisseurs... Inutile de dire que nos « Bonjour » restent sans réponse... Nous préparons du thé dans nos bidons, encore tout émus par l'expérience de la nuit qui a précédé.

Richard J. Hutchings 🇬🇧

* *

Mardi 13 juin

J'ai déployé une toile de tente au-dessus de mon trou et j'écris sur la petite écritoire que m'a donné maman. On a l'impression de voir défiler son passé quand on est terré dans son trou au milieu de la nuit, perdu dans des calculs mathématiques obscurs, afin de savoir combien de tonnes de bombes ou d'explosifs il faut pour tuer un simple mortel et combien de centaines de tonnes des ressources du monde ont été gaspillées juste par aboutir à la folie qui nous fait nous entre-tuer... Je suis encore effrayé, tapi au plus profond de mon trou, quand j'entends le sifflement qui marque le début de la trajectoire d'une bombe, et mon cœur s'arrête de battre tant que je n'ai pas entendu le bruit de son explosion.

Ne m'en veux pas de te dire tout cela par écrit. Je ne veux pas t'affoler, mais il me faut bien laisser sortir tout cela et le confier à quelqu'un...

Edward Rhodes Hargreaves 🇬🇧

* *

Notre cri maintenant, comme toujours, est un cri de combat, parce que le chemin du combat est aussi le chemin de la liberté et le chemin de l'honneur.

Vous qui avez été sous la botte de l'ennemi et avez fait partie des groupes de résistance, vous savez ce qu'est cette guerre. C'est une guerre particulièrement dure, cette guerre clandestine, cette guerre sans armes. Je vous promets que nous continuerons la guerre jusqu'à ce que la souveraineté de chaque pouce de territoire français soit rétablie. Personne ne nous empêchera de la faire.

Nous combattrons aux côtés des Alliés, avec les Alliés, comme un Allié. Et la victoire que nous remporterons sera la victoire de la liberté et la victoire de la France.

De Gaulle, Bayeux, 14 juin 1944

* *

Juin 1944
J'ai l'intention de tenir ce journal intime pendant toute la campagne à venir, sur cette terre de France, bien que ce genre de luxe soit totalement interdit par le règlement en service actif. Mais je pense que mon acte se justifie pleinement parce qu'on n'est pas près d'oublier les enseignements de ce genre d'expérience, quelle qu'en soit l'issue... Un compte rendu fidèle de ce qui se sera passé pourra être utile aux générations futures. Mais je jure qu'en cas de danger imminent ou au cas où je serais capturé par l'ennemi je le détruirai...

Richard J. Hutchings

* *

14 juin

Je rejoins une unité envoyée vers le sud le long de la route principale, afin de restaurer les fils téléphoniques qui ont été sérieusement endommagés par les combats au cours des semaines précédentes. L'un des nôtres nous couvre avec la mitrailleuse, pendant que chacun de nous grimpe sur les poteaux téléphoniques, non sans s'être muni de sa mitraillette, jusque sur les bras métalliques qui tiennent les fils.

Nous sommes comme des cibles au tir au pigeon... Je vais en faire les frais. Je n'ai pas plutôt verrouillé ma ceinture de sécurité autour du poteau qu'un coup de feu est tiré de l'autre côté de la route. L'isolateur se brise devant mes yeux. J'en suis vert de peur. « Descends de là ! » crie quelqu'un inutilement. J'ai déjà commencé à descendre, débouclant ma ceinture de sécurité en un quart de seconde, et j'ai sauté les derniers mètres qui me séparaient du sol avec mes crampons métalliques encore fixés aux pieds. « *Sniper* ! avertit un autre homme... Je pense que le coup venait de là », dit-il en montrant du doigt un vieux bâtiment, une sorte de lavoir à la lisière des arbres. Un soldat américain, un as de la gâchette nous rejoint et se met à arroser le bâtiment au jugé et sans sommations... (Est-ce qu'un cow-boy en herbe sommeille sous la peau de chaque Américain ?) Presque immédiatement, des travailleuses françaises sortent par une porte, choquées, effrayées, avec l'air à la fois innocent et furieux. On ne trouve pas de *sniper* et le travail peut continuer !...

Richard J. Hutchings 🇬🇧

* *

Jeudi 15 juin

Les pauvres enfants qui nous entourent deviennent fous à la vue de notre chocolat et de nos friandises. La femme du fermier auquel appartient notre verger m'a raconté que ses enfants avaient été privés de sucreries pendant trois ans... Les gens ne sont pourtant pas défavorisés dans la région : ils ne manquent pas de fruits, de légumes, de miel... Mais beaucoup d'enfants sont pâles et très maigres. J'ai peur que beaucoup parmi eux ne soient atteints de tuberculose. Les autochtones forment un ensemble intéressant à observer... La plupart du temps, ils ont l'air totalement indifférents à ce qui se passe autour d'eux. Leur seule preuve d'enthousiasme se manifeste à l'écoute des informations de 9 h 30 à la radio qui sont diffusées en français... À ce moment-là ils sont capables de rire et d'applaudir, mais le reste du temps, ils continuent à labourer les champs sans se plaindre du fait que nous ayons bombardé leurs villages... Les raids allemands ne les perturbent pas plus. Ils n'ont pas hésité à creuser eux-mêmes des abris dans leurs jardins. Quelques-uns sont des quémandeurs invétérés qui n'arrêtent pas de mendier du tabac, des cigarettes... Mais ils sont une minorité...

Edward Rhodes Hargreaves 🇬🇧

**

Jeudi 15 juin

Une maison a été démolie – le propriétaire blessé à la tête – Simone Tribouillard, sa mère et sa sœur légèrement blessées. Tous les toits du quartier sont bien abîmés – les portes et fenêtres arrachées – beaucoup de maisons inhabitables.

Notre glace ronde est tombée – le carreau du couloir et ceux de la porte entre le bureau et la salle – le store de cuisine démoli. Nous devenons nerveux, tremblons au moindre bruit. Ces avions sont terribles. Nous avons tous une terrible envie de fuir, mais où ? La campagne est labourée d'obus et il faut s'en aller à pied, forcément sans provisions.

Nous abordons la nuit avec angoisse. Nous couchons dans l'abri du pressoir où est venue nous rejoindre la famille Chesneau. Nous nous posons tout habillés sur nos lits afin d'être prêts à tout.

Fernande Aveline 🇫🇷

**

16 juin

Dans la campagne, nous trouvons des arbres couverts de lambeaux de parachutes abandonnés. Nous récupérons des quantités de tissu et de cordons. La soie fera de beaux foulards pour nos proches et pour nos petites amies... Dans les champs et dans les clairières, nous trouvons les carcasses abîmées des planeurs alliés, échoués dans des positions impossibles, certains avec leurs ailes et leurs queues cassées, d'autres avec leurs fuselages déchirés à la hâte pour permettre une évacuation dans l'urgence... Nous nous arrêtons un moment et nous pensons aux braves qui, à leur bord, poursuivaient leur course irréversible vers le sol, en sachant très bien que bien peu parmi eux survivraient. J'admire leur courage, mais qu'est-ce au juste que le courage ? Un manque d'imagination ? J'aimerais bien le savoir...

Richard J. Hutchings 🇬🇧

* *

Vendredi 16 juin

4 heures de l'après-midi. Les avions passent très bas. Tout
à coup, rafales de mitrailleuses. Ils sont descendus à moins
de 50 mètres et mitraillent les rues pleines de monde – deux
tués et plusieurs blessés dont M. Dodeman. Ces aviateurs
sont des bandits.

Fernande Aveline ▊ ▊

* *

Tout le long de la baie de nombreuses tranchées, des grenades, des balles, des douilles et même quelques fusils rappelaient la bataille encore toute proche. Nous longeâmes la
haie jusqu'à la barrière de la route, dans les creux de chaque
côté de celle-ci gisaient sept cadavres américains ; le premier,
la tête criblée d'éclats, tenait encore l'écouteur d'un appareil
de radio ; un autre avait la tête écrasée par les chars et la
cervelle s'étendait sur la route ; une jeep était brûlée auprès
d'un poteau téléphonique ; plus loin dans le carrefour on
apercevait des cadavres au nombre d'une soixantaine d'après
les témoins et dont certains étaient déchiquetés par les obus
et, sur ce spectacle de mort, une terrible odeur planait.

Nous fîmes demi-tour n'ayant pas le courage d'aller plus
loin au milieu de tous ces soldats morts. Nous nous dirigeâ-
mes vers les « petites pièces ». Là partout, du sang, des pansements, des équipements déchirés, maculés de sang, partout
des fusils, des poignards, pelles et pioches de tranchées et
partout, toujours, des traces de sang et des débris, et la même
odeur de mort.

Des munitions et des petites bombes jonchaient le sol
également. Une jeep arriva et ses occupants se mirent en
devoir de récupérer les armes à feu. Nous traversâmes la
route et entrâmes dans les « Grands Champs ». Là, des fusils
allemands, des ceinturons, des casques jonchaient le sol en
quantité et les « *Gott mit uns* » dont les Allemands étaient si
fiers gisaient dans la boue. Des grandes caisses, contenant
des milliers de balles, étaient également abandonnées, mais
il y avait moins de sang que dans les autres champs : c'était
certainement là que les Allemands avaient été faits prison-

niers ou fouillés. Nous rentrâmes à la maison fortement impressionnés par ce que nous avions vu. Partout une odeur de cadavre flottait dans l'espace.

Nous nous mîmes en devoir d'enfouir les bêtes tuées dans la bataille : veaux, vaches, moutons, cheval. Ce fut une pénible corvée d'enterrer ces bêtes ballonnées et exhalant une très mauvaise odeur. La Pouliche complètement éventrée pesait particulièrement.

Journal intime de Henri Bougeard, 14 ans ▮ ▮

* *

Le caporal James Donald Meeks a 24 ans. Cet étudiant américain en littérature anglaise est un peu pris au dépourvu par la vie militaire. Il a à la fois l'âme d'un poète et d'un fermier, puisqu'il a été élevé par sa mère dans la ferme de ses grands-parents après que son père fut mort d'une tumeur au cerveau alors qu'il n'avait que 6 ans...

Lundi 19 juin

La guerre laisse ses traces et celles du feu nourri qui nous a précédés : d'innombrables trous d'obus, des arbres cassés, des champs dévastés, des immeubles détruits... Notre marche réveille un oiseau dans une haie, et lors des moments de pause, il y a des fleurs sur le bord des routes. Je perçois une odeur de marais. Et quand l'aurore vient, elle nous révèle un fatras de bestiaux repus, d'avions et de planeurs disloqués, et de matériel dépareillé... Nous sommes arrêtés dans un champ et nous creusons des trous. Nous sommes dans un verger. Les champs sont exigus et bordés de haies épaisses. Il y a là d'innombrables douilles d'obus, des trous énormes et des tranchées creusées dans la terre. Le temps est froid, et il bruine un peu...

James Donald Meeks ▬▬

* *

Jeudi 22 juin

Je suis devenu le généraliste local pour les gens du village. Le docteur le plus proche habite à 6 miles[1], mais il lui est

---

1. Environ 10 kilomètres. *(N.d.E.)*

bien sûr impossible de se déplacer dans les circonstances actuelles...

Parmi mes patients, j'ai deux enfants qui ont une angine et un homme plus âgé (65 ans) frappé de pneumonie. Ils sont très reconnaissants de tout ce que nous pouvons faire pour eux, mais hélas mon français n'est pas à la hauteur... Les prix ici sont incroyables : les produits locaux – légumes, vin, œufs – sont vendus à des prix raisonnables. Nous avons le droit d'acheter les produits de la terre, mais rien d'autre. À l'exception du vin si nous avons la chance d'en trouver ! Les habits, les chaussures sont introuvables ! le fils du château m'a montré une veste de sport achetée à Caen il y a quelques semaines et payée... 20 000 francs ! À 200 francs la livre, cela fait à peu près 100 livres ! Un Français qui travaillait sur les fortifications avant notre arrivée était payé sur la base de 1 000 francs par jour (5 livres). Au fait n'hésite pas à m'envoyer du café quand tu le pourras : ici il n'y a que de l'ersatz !

Edward Rhodes Hargreaves 🇬🇧

* *

Lloyd D. Lane a 24 ans. Il est l'époux d'Irma ; ils se sont mariés en août 1941 et sont allés vivre dans l'Indiana. L'un et l'autre travaillaient à l'usine, elle comme ouvrière, lui comme contremaître. Son beau-frère et trois de ses frères ont rejoint comme lui les zones de combat, et sa mère a eu le droit d'arborer une bannière couverte de cinq étoiles à la fenêtre de son salon... En trois ans, Lloyd écrit à Irma près de sept cents lettres, soit plus de quatre lettres par semaine...

Jeudi 22 juin 1944

J'ai pris le temps juste après le dîner de me laver avec une éponge en remplissant mon casque, et de changer de sous-vêtements... Je me suis rasé ce matin, et lorsque je me serai lavé les cheveux, je serai propre des pieds à la tête. Je venais de battre le record : dix-neuf jours sans prendre un bain... Je suppose, ma chérie, que tu as suivi avec attention le film des événements relatés par la presse et par la radio et que tu ne peux plus ignorer que ma division est engagée sur le front... Les règles de la censure nous interdisent de parler de ce qui nous arrive et nous sommes obligés de respecter un délai de quatorze jours pour parler des événements... Nous avons embarqué pour de bon le 5 juin, et là nous avons compris que le moment décisif était venu... J'ai lu plusieurs articles sur le débarquement, mais ce qu'ils racontent n'a pas grand-chose à voir avec ce que nous avons vécu à Omaha Beach... Notre bateau a servi de navire hôpital et nous sommes bien placés pour savoir que cette opération n'avait rien d'une partie de campagne. Le seul fait d'aider à transporter les blessés à bord suffisait largement à nous faire comprendre que nous n'avions pas le choix : il nous fallait éliminer les « Boches » purement et simplement, les rayer de la carte... Un article prétendait que les Français ne nous avaient pas accueillis avec des fleurs et qu'ils n'avaient pas fait preuve d'un grand enthousiasme, d'une joie débordante. Je démens fermement cela : on nous a jeté des fleurs plus d'une fois sur notre passage, dans les villages, dans les villes que nous venions de libérer. Nous avons même gardé quelques-unes de ces roses, pour le prouver...

Lloyd D. Lane

* *

Le gaspillage était scandaleux. Les soldats, qui touchaient beaucoup plus de vivres et d'effets qu'ils n'en avaient besoin, perdaient, jetaient ou détruisaient leur superflu, mais bien peu donnaient. Après le départ d'un camp d'Américains, on trouvait de tout : habits, vestes, culottes, chaussettes, imperméables, chaussures, conserves, objets de toilette en grande quantité, rasoirs, lames, peignes, brosses à dents, trousses de toilette, poudre insecticide, cartes à jouer... Ce qui fut certainement abandonné en plus grand nombre, ce fut les brosses à dents, je crois qu'il faut les compter par milliers, les blaireaux et les rasoirs par cinquantaines.

Journal intime de Henri Bougeard, 14 ans

* *

Dimanche 25 juin

Il est plutôt choquant de constater que nous ne sommes pas tout à fait accueillis comme des « libérateurs » par les autochtones, contrairement à ce que l'on nous avait dit... D'après moi la raison en est assez simple : jusqu'à notre arrivée, la guerre avait épargné la Normandie et les gens de la région pensaient que nous serions rejetés à la mer. Ils nous considèrent comme étant ceux qui apportent avec eux la destruction et la terreur. Je n'ai pas le sentiment qu'ils aient détesté les Allemands...

Leslie F. Roker 🏴󠁧󠁢󠁥󠁮󠁧󠁿

* *

Dimanche 25 juin

Je dois bien admettre que j'ai débarqué avec quelques idées reçues sur les Français, mais que plus je les fréquente, plus je les apprécie. Alors qu'il ne reste quasiment plus une maison qui ne soit détruite ici, ils se débrouillent avec les ruines, continuent à cultiver la terre et ne se plaignent pas. Notre invité, Pierre est arrivé avec cinq bouteilles de sa cave, une cave dont il a caché l'existence aux Allemands pendant quatre ans ! Nous avons bu un apéritif, du kirsch, fabriqué à base de noyaux de cerise, avec un petit goût d'amande amère, puis un vin rouge et un vin blanc pour accompagner durant le repas un lapin que quelqu'un avait attrapé, ainsi que quelques pommes de terre nouvelles. Pour finir, un vieux porto délicieux (1926) et enfin quelques merveilleuses liqueurs : du Grand-Marnier Cordon Rouge. Le meilleur alcool que j'aie jamais goûté : un cognac avec une saveur d'orange. Il y en a une autre variété de couleur jaune (au cordon jaune) parfumée à la cerise. Ces boissons françaises sont délicieuses si on les compare à nos boissons anglaises équivalentes, à nos gins, à nos whiskies avec leurs goûts si forts que nous essayons de les couvrir en ajoutant du citron...

Edward Rhodes Hargreaves 🏴󠁧󠁢󠁥󠁮󠁧󠁿

* *

1er juillet

Nous autres soldats anglais, nous profitons maintenant des rations américaines. Elles sont pleines de cigarettes et de friandises... Mais le résultat de ce changement de régime alimentaire fait que nombre de nos soldats souffrent de troubles gastriques. Les Noirs américains sont particulièrement généreux avec les cigarettes et très souvent quand leurs convois nous dépassent, lorsque nous travaillons dans la campagne, ils nous lancent des cartouches de Lucky Strike, de Chesterfield, etc. Nous autres, pauvres cousins de l'autre côté de l'Atlantique, nous acceptons le fruit de leur générosité sans aucune fierté mal placée. Ils appartiennent à une communauté joviale, et leur générosité vient droit du cœur. Il est probable que leurs intendants ont certainement une vision bien différente du problème...

Richard J. Hutchings 🇬🇧

* *

2 juillet

Au crépuscule, un *sniper* allemand commence à nous harceler, mais une patrouille improvisée à la hâte semble nous débarrasser de lui... Il ne tarde pourtant pas à se manifester puisqu'à 3 heures du matin, je reçois un appel téléphonique pour le commandant de la compagnie et, alors que je me mets à sa recherche, quittant provisoirement l'abri du central téléphonique, je sens comme un bourdonnement d'abeilles à quelques millimètres de mon visage et quelques secondes plus tard, je sens le souffle d'une seconde balle qui rase ma joue... Elle est passée tout près. Je me précipite sur le sol et je détale à toute vitesse pour délivrer mon message !

Leslie F. Roker 🇬🇧

* *

5 juillet

En plein travail, dès 9 heures du matin, encore un bombardement. Je m'enfonce sous la baignoire. Les bombes tombent autour de nous et pourtant je pense à la grosse croix rouge sur le toit qui va nous protéger. Les vitres volent en éclats, les avions piquent du nez, le bruit est infernal et résonne. J'apprends qu'il y a quelques blessés, et, l'alerte passée, il faut se remettre à laver et brosser ce linge au vrai savon de Marseille que l'on nous distribue au compte-gouttes. C'est un dur travail, à l'eau froide, le linge est très sale, rempli de caca. Mais il nous faut travailler pour être nourris.

Huguette Verdier ▮ ▮

* *

Mary Moris est une jeune infirmière anglaise d'origine irlandaise. En pleine bataille de Normandie, elle officie dans un hôpital de campagne britannique au creux du Bocage normand.

5 juillet 1944

Nous avons reçu un convoi de jeunes Canadiens très gravement touchés ce matin. J'ai été réveillée à 3 heures du matin et j'ai eu à estimer leur état de santé dès que j'ai pris mon service. Il y avait des civières partout, jusqu'au milieu de la tente. Il y avait des corps gravement brûlés partout, certains étaient silencieux et mouraient doucement, d'autres hurlaient de douleur : ils étaient tous gravement brûlés. Tout le monde devait apporter son aide : les patients mobiles, les aides-soignantes, les sœurs qui n'étaient pas de service, les soldats du corps des Pionniers, et tous les officiers du corps médical...

Leurs corps étaient noircis par les flammes. Leur apparence tenait du cauchemar. Nous ne cessions de leur donner de la morphine, encore et encore, et nous les regardions mourir, impuissants. Nous avons sorti les morts de la tente et nous avons essayé de sauver ceux qui vivaient encore. Ils étaient tous très jeunes et incroyablement terrorisés. Nous avons monté des lits de camp et coupé ce qui restait de leurs vêtements en essayant de les allonger nus, délicatement sur leurs lits. Il était impossible de les couvrir car ils ne supportaient pas le moindre contact sur leurs brûlures. Nous avons essayé de les réhydrater avec des injections intraveineuses de plasma et d'eau salée et nous fûmes émus par la chaleur humaine qui les entourait dans le service bondé. Ils grelottaient. Nous leur avons donné de la pénicilline dans l'espoir d'enrayer les infections, tout en étant bien conscients du fait que nous ne pouvions pas les traiter dans de pires conditions, étant donné le type de l'infrastructure et l'indigence de l'équipement. L'un d'entre eux, l'un des rares qui pouvaient encore parler, un jeune officier du nom de McCabe, me raconta ce qui leur était arrivé : il y avait de violents combats près de l'aérodrome de Carpiquet. Les Canadiens portaient des uniformes plus sombres que les nôtres et qui ressemblaient à ceux des Allemands. Nos troupes les avaient attaqués au lance-flammes en les prenant par méprise pour une cible ennemie. Cela donne une idée de la stupidité et de la futilité de la guerre... Nous avons fait le maximum pour ces jeunes hommes, mais parmi eux dix-neuf sont morts dans nos bras. Nous avons passé l'après-midi avec la mission déprimante qui consistait à essayer d'identifier les morts, à remplir une étiquette avec leur état civil et à sortir leurs corps. Ils avaient tous 20 ans. Ils auraient eu tant de choses à vivre. Je me sens fatiguée et totalement déprimée.

Mary Moris 🇬🇧

**

Vendredi 7 juillet

Ça a été une nuit aussi triste que mouvementée. Pierre, sa femme Andrée et leur petite fille Ariane ont été tous tués vers 1 h 30 du matin par un obus qui a éclaté dans la pièce où ils dormaient. J'ai du mal à réaliser ce qui vient d'arriver. Ils formaient une famille si unie... Ils avaient survécu à tant d'horreurs...

Edward Rhodes Hargreaves 🇬🇧

**

8 juillet

Vers midi, un Anglais, une grande pipe à la bouche, s'arrête devant le cimetière et tient à sa disposition trois Allemands, mains en l'air, en bras de chemise, désarmés. Il les fait aligner en s'apprêtant à les mitrailler. Un attroupement de cinq à six personnes s'est formé. Le plus jeune des Allemands doit avoir mon âge. Ses bretelles retiennent mal son pantalon qui glisse et qu'il n'ose pas remonter. Monsieur F. s'écrie : « Tuez-les, ces sales Boches ! » Un autre homme s'interpose rapidement entre les Allemands et cet Anglais arrogant et lui explique qu'il n'a pas le droit de tuer ces soldats ; il doit les constituer prisonniers. L'Anglais nous fait comprendre qu'il n'y a pas de camps de prisonniers et qu'il doit les descendre puisqu'il ne sait pas où les mettre. L'homme français lui demande alors de ne pas les exécuter, là, devant femmes et enfants. L'Anglais amène ses trois Allemands en direction de la rue Jean-Eudes. Je ne sais pas ce qu'il en a fait ; mais moi, je ne voyais que le visage livide et le corps tremblant du tout jeune soldat. Qui donc oserait parler, après ceci, d'une entrée des Alliés triomphale ?

Huguette Verdier ▮ ▮

* *

Dimanche 9 juillet

Les recherches de la section voisine ont été fructueuses : ils ont trouvé cent une mines allemandes, dont cinq étaient si rouillées qu'ils n'ont pu en extraire les détonateurs. Le sergent Pashley les a placées avec précaution dans le sable des dunes et il essaye de les faire sauter en leur tirant dessus, mais sans succès.

Un peu plus tard, nous sommes assis sur un chemin dans les dunes afin de déjeuner et de nous reposer en profitant du soleil. Day, mon ami, et Southern sont debout et discutent pour savoir ce qu'il faudrait faire des mines laissées dans les dunes. Le sergent, qui est un type avenant, mais qui est aussi un grand anxieux a encore des doutes justifiés sur leur dangerosité. Mais Day, avec l'attitude insolente et provocatrice qui le caractérise, se moque de lui. Et là, pour éprouver les nerfs du sergent, il ramasse des cailloux sur le chemin et les lance de façon provocatrice dans la direction des mines. Le sergent commence à parler, mais je n'entends plus ses mots. Le monde tout entier semble exploser : un souffle d'air et de sable me percute comme si je me cognais dans un mur ; mon corps s'envole et je retombe sur la tête. Mes oreilles bourdonnent à cause de l'explosion. Le silence cède la place à des gémissements. MCeachen, le joueur de cornemuse qui était assis près de moi, se dresse sur ses jambes avec un regard hystérique et se met à courir sur le chemin en hurlant pour demander de l'aide. Arrivant à me remettre du choc que je viens de subir, je découvre une scène d'apocalypse : Day a un trou de la taille du poing dans la tête, et il n'y a plus rien à faire pour lui. Le sergent est également blessé à la tête et saigne abondamment. Southern a reçu un éclat d'obus dans la poitrine. Des deux blessés, le sergent semble être le plus gravement atteint, et j'essaye désespérément d'étancher sa plaie avec un mouchoir propre. Instantanément, le mouchoir et ma main ruissellent d'un sang vermillon. Je n'ai pas le temps de déballer mes compresses. De toute façon, je n'ai qu'une main de libre. Je reste seul, accroupi avec un mort et deux blessés, et les minutes semblent ruisseler sans fin. J'essaye d'éloigner mon regard de la blessure à la tête de Day, mais je n'y arrive pas, comme si elle m'hypnotisait... Je suis curieusement calme, peut-être beaucoup trop calme, et je me sens très détaché de la réalité, même si la vie d'un homme est en train de me filer entre les doigts... Au bout de cinq minutes, un groupe d'hommes arrive avec une barrière en guise de brancard. Après que des compresses aient été appliquées, on emporte d'abord les deux blessés, puis on emporte Day, allongé sur la barrière qui sert de brancard, recouvert d'une grossière couverture militaire. La nuit tombe et le désespoir m'engloutit sous sa vague noire. Je ne cesse de revivre la scène de la tragédie. Sous la surface, je ressens à la fois un immense dégoût, et l'incroyable futilité de tout cela... Est-ce pour cela que nous sommes venus en France ? Cette perte de vies gratuite ?

Richard J. Hutchings 🇬🇧

* *

Jean-Paul Gagnon est un artilleur canadien, champion d'haltérophilie... Lorsqu'il croise une famille française, il lui arrive de marcher sur les mains pour amuser les petits civils. Son journal intime – interdit par la hiérarchie militaire – lui fait risquer le conseil de guerre.

Lundi 10 juillet

Nous sommes concentrés dans un champ de luzerne près du petit village de Banville. Nous nettoyons nos canons. Le paysage est assez lugubre. Des ruines et des ruines !... En face de la misère, mon cœur s'émeut quelquefois pour un rien qui rappelle quelque chose de chez nous. Une hirondelle, bien modeste oiseau pourtant, attire mon attention. Un oiseau du Canada, me dis-je ! Si tu pouvais porter un message à ma famille !... Dis-lui que si je meurs ici, je veux mourir en brave et en chrétien.

Jean-Paul Gagnon 🍁

* *

Pour essayer de décongestionner les transports par route, les Américains construisirent un pipeline pour acheminer l'essence. Il partait de la côte et se dirigeait à travers champs vers Saint-Lô, qu'il dépassa ensuite. Les Français, qui étaient privés d'essence comme de toute chose jusqu'à maintenant, découvrirent rapidement les petites fuites qu'il y avait à bien des raccords, et ce fut une floraison de gamelles et de casseroles en tout genre sous les tubes pour récupérer le précieux liquide rouge. Il y avait des fuites importantes car des herbages en pente étaient tout grillés par l'essence et, à l'occasion de pertes plus sérieuses, des sources furent polluées et des puits, bien des années après, contenaient encore de l'essence.

Donc nos récupérateurs faisaient tous les jours la visite de leurs casseroles et boîtes et les déversaient dans des jerrycans, mais certains, plus malins, donnèrent quelques tours de clef aux raccords (dans le mauvais sens) pour que cela pisse plus vite et les choses commencèrent à se gâter. Les patrouilles devinrent plus nombreuses le long des pipelines et les coups de feu d'avertissement découragèrent les plus hardis.

Journal intime de Henri Bougeard, 14 ans 🇬🇧

* *

Le sapeur Douglas K. Waite envoie cette lettre à son grand-père George H. Waite qui habite en Angleterre dans le Sussex. La lettre sera offerte par sa cousine à la Ville de Caen le 7 février 1984 pour le quarantième anniversaire de la Libération...

Juillet 1944

Dès que nous entrons dans Caen, je suis abasourdi par la vision de ce qu'il est arrivé à ce qui fut une grande ville. Un paysage hallucinant s'offre à nos yeux et marque nos esprits pour toujours. C'est la dévastation ultime ! C'est comme si

Gulliver était venu en personne à Lilliput armé du marteau de Thor, le dieu de la Guerre, et lui avait asséné de violents coups de marteau comme ça, juste pour le plaisir de détruire. Rue après rue, de malheureuses maisons disloquées, ruinées, s'étalent devant mes yeux. Personne ne peut humainement décrire cela correctement. Un bulldozer va et vient, s'escrimant à dégager un passage à travers le monceau de ruines qui obstrue ce qui a été une rue.

Presque partout règne un silence impressionnant. Une femme en larmes... un chien apeuré errant à travers des madriers éclatés... un gamin jouant dans la poussière... voilà l'image de la population caennaise.

Plus loin, je distingue quelques maisons intactes. Elles ne semblent pas à leur place dans cet océan de briques, de verre, de ciment et de débris.

Quelque part un feu fait rage. Mes pas soulèvent des morceaux de papier brûlé qui retombent en poussière. Les cendres à la cendre et les poussières à la poussière... Il en sera toujours ainsi...

Nous cheminons par petits groupes à travers les décombres. Quelques-uns d'entre nous portent des brancards à cause des nombreux corps qui gisent encore dans les débris. Je marche à travers tout ça, guidé par je ne sais quelle curiosité morbide. Un correspondant de guerre prend des photos avec un petit appareil. L'œil de l'objectif est le seul moyen pour attester vraiment de ce qu'a été le martyre de Caen.

Nous avançons avec précaution parmi les gravats quand un gars découvre une jambe d'homme et veut la dégager. Il glisse et se relève, le visage couvert de sang. Ce n'est pas du sang « vivant » ! Il a un haut-le-cœur et se détourne. Près du mur où je me trouve gisent quelques plats cabossés, et des débris de saucières en porcelaine brisées craquent sous mes pieds. Ici devait être la cuisine avant que les Lancaster n'illuminent la nuit.

Les poutres de la charpente se dressent vers les nuages qui arrivent du nord. S'il se met à pleuvoir il n'y aura donc pas de toit pour protéger de la pluie les lits aux draps lacérés ni même ce portrait de Jeanne d'Arc jeté au sol, face tournée vers le ciel, verre du cadre brisé en mille morceaux. Le feu roulant des salves d'artillerie nous parvient jusqu'ici comme pour nous rappeler que, quelques miles plus loin, d'autres villes et d'autres villages vont subir le même sort. Un jour peut-être Caen sera reconstruite... Caen dont le corps est cassé, mais dont l'âme est intacte. Je peux le constater à la vue de ce drapeau en loques qui flotte à la porte de ce qui fut une église. Je peux le voir sur le visage des gens.

Au-dessus de nous, des avions descendent dans le crépuscule pour se poser sur des terrains préparés aux alentours. Beaucoup d'entre eux pour évacuer les blessés du front, de plus en plus nombreux.

Les derniers rayons du soleil, bas sur l'horizon, se mêlent à la fumée ; ils enveloppent les ruines d'un halo doré. Maintenant les gens parlent. Ils racontent l'enfer des jours précédents. Les vieux, hébétés et décontenancés, sont maintenant entre des mains prévenantes qui leur assurent protection et nourriture.

La plupart des femmes, angoissées, pleurent amèrement. La guerre les a frappées dans toute sa cruauté. Leurs regards s'attardent sur leurs habitations disloquées, sur leurs biens perdus, sur leur « demeure », ce mot si simple mais chargé de tant de sens : le fruit probable d'une vie de labeur acharné et de sacrifices consentis, envolé en un rien de temps. Et, de surcroît, parfois un Être cher perdu pour l'Éternité.

Ainsi est Caen en ce mois de juillet. Rue après rue, maison après maison, ruinée, écrasée, bousillée, rasée – morte.

Les objets guerriers, témoins de la bataille, jonchent le sol, abandonnés au hasard des combats à travers jardins, routes et maisons. Casques, fusils, nourriture, équipements, véhicules blindés et jeeps calcinées, canons, éclats d'obus, mines et tout ce que tu peux imaginer.

Dans le jardin, un livre d'enfant ouvert dont la brise tourne doucement les pages, une vieille bicyclette posée le long du mur démantibulé. À l'intérieur de la maison les portes sont arrachées de leurs charnières, les tables et les chaises renversées gisent là où les a jetées la première déflagration. Au mur une photo de famille montre deux personnes âgées et deux jeunes ainsi qu'une petite fille. Le vieux a un visage sympathique et porte une barbe. Le jeune est en uniforme et sourit. Sourit-il encore maintenant ? Je ne puis supporter cela plus longtemps et pars à travers la cité dévastée. Nous obliquons vers le canal où nous appelle notre travail. Le soleil est maintenant couché et les sinistres nuages gris s'esquivent vers le sud, donnant à l'eau une teinte noire huileuse. Des carcasses de bateaux gémissent contre le quai auquel elles sont amarrées. Les entrepôts et les magasins ont été détruits par un bombardement précis. De grands cratères cassent la netteté des rives du canal. On peut se rendre compte de l'âpreté des combats au grand nombre d'impacts d'éclats d'obus qui en portent le témoignage. Brusquement il se met à tomber une averse d'intensité tropicale. L'ultime clarté d'un dernier rayon de soleil donne aux gouttes d'eau l'allure particulière d'un million de baïonnettes argentées tombant du ciel. Vision macabre bien adaptée à celle de Caen !

Douglas K. Waite 🇬🇧

* *

Jacques Kayser a 44 ans en 1944. Il s'est engagé en 1939 malgré son âge et ses quatre enfants. Après avoir été démobilisé, il cache sa famille – persécutée pour ses origines juives – puis il quitte la France en 1942 pour rejoindre Londres, pendant que sa femme Jane prend le maquis. À Londres, Jacques devient chef du service des correspondants de guerre et officier de presse du général Koenig. Après avoir débarqué en France le 30 juin, il couvre la bataille de Normandie.

Lundi 10 juillet

Caen. Hier encore, les Allemands étaient là.

Les rues sont jonchées de décombres, ravagées par des entonnoirs. Il faut avancer avec précaution – des soldats britanniques font encore sauter des mines. Les premiers habitants que nous rencontrons regardent passer leurs libérateurs – qui sont aussi les destructeurs – avec une expression bien différente de celle que je notais sur les routes entre Bayeux et Cherbourg. Là ils avaient déjà pris le pli, contracté des habitudes. Les enfants savaient faire le « V » et quémander bonbons et chocolat. Les contacts étaient des prolongements de dialogues ébauchés. Les habitants avaient acquis une technique et certains, sans doute, poursuivaient déjà un but.

Ici rien de tel. L'expression des gens est ravagée, hallucinée mais soulagée. Des yeux rouges, des yeux qui reflètent encore des visions d'horreur et des saisissements d'angoisse mais, en même temps, des yeux qui savent dire « merci ». Une grande pudeur, une retenue dans les premiers contacts avec les Alliés qui n'exclut pas certaines accolades spontanées, le jaillissement de la libération.

Pour nous, Français, c'est une succession d'hommages bouleversants. Ce ne sont pas les cris d'un enthousiasme superficiel et fabriqué, c'est quelque chose de profond qu'on nous offre. Ils nous attendaient, ils espéraient, ils nous aimaient. Ils nous considèrent, nous, les hommes qui sommes partis et qui revenons, comme ceux qui ont le plus souffert et le mieux travaillé pour la France. C'est stupéfiant. Nous leur devons tout, nous devrions nous incliner devant eux... et cependant, malgré nous, contre nous, en dépit de ce que nous leur disons, il y a, de leur part, vers nous, une montée de reconnaissance qui me bouleverse et dont je ne me sens pas digne.

J'avance un peu dans la ville, dans ce qui fut la ville. C'est indescriptible. Il y a des blocs entiers qui se sont effondrés en un amas informe. Il y a des maisons, coupées en deux, qui offrent aux regards des passants le contraste entre la désolation et la paix : une petite chambre bourgeoise avec le fauteuil et sa housse, une armoire à glace brillante, un parquet ciré qui surplombent le chaos. Il y a des maisons qui tombent en cascade. Il y a des maisons sans façade et des façades sans maison. Il y a des rues dans lesquelles on ne peut plus pénétrer parce qu'il n'y a plus de chaussée. Il y a le ravage de l'incendie et l'écrasement du bombardement.

Dans l'hôpital, je rencontre un vieillard encore solide, une espèce de colosse. « Un Français ! Oh ! mon capitaine. Je serre la main d'un Français ! » Et il éclate en sanglots : « C'est impossible. Ils me l'ont tué. Pourquoi, monsieur ? Mon fils, il était à côté de moi. Ils ont arrosé la ville. Il n'y avait plus de Boches. Mon fils voulait sacrifier sa vie à son pays. Je comprenais. Mais pas comme ça ! »

Il n'avait pas de haine contre les Alliés, cet homme, mais une colère indignée contre le bombardement jugé inutile. On m'a tenu souvent des propos semblables : lorsque les Alliés ont détruit Caen, les troupes allemandes n'y stationnaient plus. Indispensable, le bombardement n'aurait pas soulevé de protestations. Mais à tous les habitants avec qui je me suis entretenu de la question, il a paru gratuit, comme une sécurité supplémentaire, un luxe de précautions. La mort de centaines et de centaines de civils, l'anéantissement d'une grande ville ont été le prix, connu à l'avance, de cette sécurité totale que le commandement allié recherche et qu'on ne trouve jamais dans une guerre.

Quelqu'un m'a dit, dans les ruines : « Puisse l'exemple de Caen protéger les autres villes de France ! » Quand on parle à des soldats ou à des officiers alliés, quand on les observe devant le spectacle de la désolation, on sent qu'ils reconnaissent leur responsabilité, qu'ils s'interrogent eux-mêmes avec malaise et ne parviennent pas à répondre à la question : « Était-ce vraiment nécessaire ? »

Jacques Kayser, ▌▐
Un journaliste sur le front de Normandie, Arléa, 1991

* *

Mardi 11 juillet

Impossible de décrire l'horreur de certains paysages sur des routes jonchées de débris et qui restent sous le feu des mortiers allemands. Des vaches, des chevaux, des êtres humains gisaient là depuis des semaines, et il avait été impossible d'aller les chercher pour les enterrer...

Edward Rhodes Hargreaves 🇬🇧

* *

11 juillet 1944

Tout cela relève plus du jeu de massacre que d'autre chose... Ici, nous tuons des civils français en prétendant les « libérer ». Tout se passe comme si, pour « libérer » les gens, il fallait en tuer la moitié, détruire leurs maisons et tout ce qu'ils possèdent ! Drôle de méthode ! Et les Allemands tuent nos propres civils pour nous empêcher de « libérer » les gens qu'ils « oppriment ». Et nous tuons des civils allemands afin de les empêcher de tuer des civils anglais et de nous empêcher ainsi de « libérer » des civils français... N'y a-t-il vraiment que les chiens qui se dévorent entre eux ?

Whittaquer 🇬🇧

15, 16, 17 juillet

Les troupes qui séjournent deviennent de plus en plus généreuses et le ravitaillement abonde. Notamment ma petite nièce est gavée de chocolats et les soldats aiment s'amuser avec ce bébé gentil. Les soldats nous disent avoir des ordres pour ravitailler les civils ; des voisins que je ne nommerai pas en profitent pour recevoir des sacs entiers de conserves et de cigarettes. Un jour que les voisins se sont absentés, c'est nous qui profitons du grand sac plein de bonnes choses : les sardines à l'huile, surtout, sont délicieuses.

Tantôt passent les divisions anglaises, tantôt les divisions canadiennes. Je me mets à fumer beaucoup de cigarettes américaines.

Durant tout le jour, nous avons le temps de discuter avec les soldats devant la maison. C'est curieux et amusant de pouvoir parler à ces gars canadiens dont l'accent parfois nous fait rire. Ils ne savent pas dire « vous » mais disent « tu », ils appellent la nuit la « noirceur ». Ils nous montrent des photos de leur femme ou fiancée, de leurs enfants.

Huguette Verdier ▌▐

* *

Ce que les Français pensent réellement de la libération que nous leur apportons ? Cette question m'a été posée à de multiples reprises dans les jours qui ont suivi mon retour de Normandie... Les gens semblent surpris d'apprendre que les Français ne disent pas ce qu'ils pensent vraiment, en tout cas à ce stade de l'histoire. Ce n'est pas surprenant. Si votre rue avait été rasée par les bombes, vous hésiteriez à aller chercher vos voisins dans les décombres afin de leur demander ce qu'ils pensent de la démocratie.

La Normandie a de l'hospitalité à revendre pour nos troupes maintenant qu'elle est à nouveau une terre d'abondance. Les Allemands ne sont plus là pour expédier les 4/5ᵉ du beurre et du fromage à leur mère patrie. Il n'y a plus de marché pour la viande, pour le lait, pour les œufs qui ne peuvent être expédiés dans les régions du pays qui sont encore occupées par les Allemands. Alors les gens ne savent pas trop quoi faire avec la nourriture qu'ils ont. Les Alliés n'en ont pas besoin. Alors même que les Français sont toujours prêts à leur cuisiner un bon repas, à déterrer la liqueur qu'ils avaient cachée aux Allemands afin de boire à la victoire et à une véritable harmonie faite de compréhension mutuelle entre nos pays. J'ai porté un tel toast avec Flo, Kitty et Ernestine qui tiennent l'hôtel où j'ai déjeuné près de Saint-Vaast. Ces trois femmes tiennent un hôtel qui est connu des touristes dans la France entière. Elles ont décidé il y a vingt ans de vivre toutes les trois en vieilles filles. C'est la raison pour laquelle elles ont baptisé leur hôtel « Trois Cents Hommes », jeu de mots qui veut dire en clair et en bon français : « trois sans hommes ». Flo, Kitty et Ernestine m'ont mitonné un déjeuner que je ne suis pas près d'oublier. À la fin du repas, Ernestine a disparu un moment puis elle est revenue avec un air satisfait sur son visage grassouillet, avec une bouteille de bénédictine sous son bras dodu, et une bouteille de cognac sous l'autre. Nous avons bu à la victoire, au retour rapide de la paix, et au fait que la France redevienne ce qu'elle voulait être.

Iris Carpenter 🇬🇧
Source : collections Mémorial de Caen

* *

Robert Emmet Charles Bradley est né à Montréal. Le 6 septembre 1940, alors qu'il n'a que 16 ans, il réussit à se faire engager dans l'armée après avoir triché sur son âge. Il débarque dans le secteur de Juno Beach le 8 juin 1944.

17 juillet 1944

Chère maman,

Cette lettre sera certainement coupée par la censure, mais je me fiche de ce qui peut arriver : à présent, je n'ai plus peur des gens qui se livrent à ce genre d'activité... Après ce que je viens de vivre, si je tiens le compte des morts et des blessés de mon unité, de ceux qui étaient mes amis les plus chers, si j'énumère le nombre impressionnant de soldats allemands que j'ai pu envoyer en enfer, je me fiche complètement de ce qui peut m'arriver ; ce qui compte pour moi, c'est ce que pensent ceux qui restent dans le rang... Comme je te l'ai déjà écrit, nous avons pris la ville de Caen. Nous avons été les premiers à nous y implanter sans pour autant en être repoussés par les Allemands. Ne crois pas ce que tu lis dans la presse. Cela nous a coûté 60 % des effectifs de notre unité... Nous sommes rentrés dans la ville à l'aube et nous nous sommes battus tout le jour et toute la nuit qui ont suivi... Nous avons été la première compagnie à pénétrer dans la ville et il n'y avait plus beaucoup de survivants parmi nous lorsque nous avons atteint le centre de la ville. Nous nous sommes battus pour atteindre l'autre extrémité de Buron et peu après minuit, nous avons dû affronter des contre-attaques. Sur la ligne de front, le sol était couvert de piles de cadavres allemands... Pendant tout ce temps, nous avons progressé sous le feu nourri des mortiers ennemis qui ont fait beaucoup de victimes dans nos rangs... À la tombée de la nuit, les Allemands étaient encerclés, et sur le point d'être annihilés. Pendant la nuit, avec deux de mes potes, nous nous sommes rendus à l'arrière d'une position allemande avec deux pistolets-mitrailleurs, un fusil et une bande de grenades. À l'aube, les nôtres les ont chassés de leurs tranchées et lorsqu'ils ont essayé de s'en échapper, nous les avons abattus avec mes deux camarades. À nous trois, nous en avons tué trente-huit et cela n'a fait que mettre une dernière touche à la prise de Buron dont il ne restait qu'une masse de décombres. Nous avons laissé beaucoup de morts sur le terrain, mais pour le cadavre de l'un des nôtres, il y avait six cadavres allemands. Nous avons ensuite continué à progresser jusqu'à ce que nous atteignions le centre de la ville de Caen. On est maintenant à l'arrière pour un court repos. Nous avons touché assez de renforts pour pouvoir constituer à nouveau un bataillon. Gardez tout cela pour vous. N'en parlez surtout pas à des gens dont vous n'êtes pas sûrs. Je pense que je vais m'arrêter là. Ne vous faites pas de bile pour moi. Je m'en tirerai.

Avec toute mon affection.

Charles Bradley 🇨🇦

* *

Christine Decroix a 22 ans. Ses parents habitent à Ouistreham et elle est partie à Caen le 5 juin pour y suivre ses cours de musique et de piano ; elle va y rester bloquée pendant toute la bataille de Normandie...

Mardi 18 juillet

La grande offensive est commencée. À 6 heures du matin, le ciel est sillonné par des bombardiers se dirigeant sur la rive droite de l'Orne. Nous nous levons pour examiner ce spectacle angoissant. Ce sont de véritables pluies de feu qui tombent suivies de nuages de fumée. Le sol tremble. Les avions passent sans discontinuer. Ils arrivent comme des mouches, puis on les voit grandir, passer au-dessus de nous, diminuer à nouveau, tandis qu'au loin, on en voit apparaître sans cesse, non pas en formation, mais éparpillés dans le ciel. Et tout cela passe pendant quarante-cinq minutes ! Vers 7 heures c'est l'artillerie qui donne. Les batteries anglaises crachent des obus sans arrêter. Le plâtre de ma chambre continue à tomber et les murs dansent le swing ! Les Boches répondent à leur tour par une bordée d'obus. À 8 h 30, la bataille de chars commence. À 9 heures, elle bat son plein...

Christine Decroix

**

Dimanche 23 juillet

Beaucoup de civils français sont revenus dans ce qui reste de leurs villages. Il est très touchant de voir la façon dont ils prennent soin des tombes de nos soldats. Il a souvent été impossible de les enterrer dans des cimetières au cœur de la bataille, et les hommes sont souvent enterrés là où ils sont tombés... Sur chaque tombe, un vase de fleurs fraîches placé là par un civil...

Edward Rhodes Hargreaves

**

27 juillet

Entre le 20 et le 27 juillet, nous avons été l'objet de tirs de mortiers continuels, de jour comme de nuit, et bombardés à coups de roquettes et d'obus fumigènes... Les roquettes éclataient autour de nous ; elles émettaient le son d'un piano géant qui aurait été jeté dans le ciel... C'était un bruit absolument terrifiant. Le moindre mouvement de notre part déclenchait un pilonnage de mortiers. Il était quasiment impossible de se déplacer d'une tranchée à l'autre en plein jour...

Leslie F. Roker 🇬🇧

* *

L'avion allemand avait lâché des chapelets de grenades aériennes, petites bombes grosses comme le poing. Ces chapelets étaient tombés dans des champs remplis d'Américains couchés sous leurs tentes. Le coin des officiers fut particulièrement atteint. L'aumônier qui disait la messe à la maison était du nombre des victimes. Il y avait environ soixante morts et quatre-vingts blessés. Les soldats ramassaient les débris humains dans des sacs. Les soldats campés dans les « Champs Michel » creusèrent des tranchées très profondes pour se mettre à l'abri.

Journal intime de Henri Bougeard, 14 ans 🇫🇷

* *

Dimanche 30 juillet

L'air n'est pas sain sur notre plage : l'ennemi la pilonne régulièrement avec un canon de longue portée. Il y a deux jours, un obus a tué douze hommes sur une plage voisine de notre club pendant leur baignade.

Edward Rhodes Hargreaves 🇬🇧

* *

31 juillet 1944

J'ai croisé un Allemand qui n'avait pas encore été tué ou capturé. Tu peux me croire, beaucoup sont des gosses, mais ce sont déjà des « durs à cuire », et le plus souvent, nous ne les intimidons pas...

Ils tirent à vue depuis chaque haie, depuis chaque maison, et ne nous font pas de cadeau...

Ça me fait bouillir de lire les grands titres de la presse du jour qui prétendent que les Allemands seraient en pleine déroute. Si les plumitifs qui ont rédigé ces titres étaient ici, sur la ligne du front, ils réaliseraient vite que les Allemands ont laissé assez d'hommes derrière eux pour rendre sacrément dure et meurtrière la tâche de ceux qui s'efforcent de les renvoyer dans leur pays... Un gosse de 16 ans est tout aussi capable d'appuyer sur la détente d'une mitrailleuse avec tout autant d'efficacité meurtrière qu'un soldat de 23 ans, et il peut faire preuve du même fanatisme...

Il n'y a rien de propre, rien de chevaleresque dans une guerre d'infanterie. On n'y respecte rien, et il semble bien que dès lors que l'on a tué quelques hommes, le nombre de morts et la façon de les tuer n'ait plus aucune importance...

Albert J. Webb

* *

À l'aube, deux détonations brisèrent le silence, et nos deux sentinelles furent abattues... Alors l'enfer se déchaîna... Nous étions cernés sur trois côtés. Nous étions sous le feu d'au moins trois mitrailleuses et, nous n'avons pas tardé à nous en apercevoir, d'une compagnie ennemie au grand complet. Les mitrailleuses nous obligeaient à rester tapis dans le fossé, et la seule chose que nous pouvions faire était de balancer des grenades. Un de nos hommes qui répondait au nom de Valentine devait avoir pété les plombs... Il s'est tout à coup mis debout dans le fossé, il s'est mis à hurler comme un gosse, et à tirer à tort et à travers jusqu'à ce que son fusil soit à court de munitions. Il a été littéralement taillé en pièces par les mitrailleuses allemandes. C'est à ce moment-là que nous avons commencé à être exposés au feu des mortiers. La première salve creusa un trou dans la haie à notre droite. Un homme qui tentait une sortie fut coupé en deux par une rafale de mitrailleuse. Cela dissuada toute nouvelle tentative du même genre... Le bombardement de mortier battait son plein. Passé le premier obus, ils ne loupèrent plus la tranchée... La seule raison pour laquelle j'ai survécu, c'est parce qu'ils ont commencé par l'autre bout de la tranchée. Je ne pourrai jamais effacer de ma mémoire le spectacle des corps mutilés projetés dans les airs à chaque explosion...

Melvin B. Farrell

Fritz Mahr vient d'avoir 18 ans. Il a été enrôlé dans l'armée allemande à l'âge de 17 ans, et versé comme grenadier dans la 17 SS Panzerdivision. D'abord affecté dans la Loire, il a été envoyé en Normandie « à bicyclette ». Il sera l'un des deux seuls survivants du 3ᵉ bataillon de sa division.

Nous avons de nouveau entendu des obus siffler et nous nous sommes allongés à plat ventre sur le sol. Mais cette fois-ci il n'y avait aucun abri en vue, aucun trou, pas même un fossé dans lequel nous aurions pu nous retirer. À notre gauche il y avait le remblai et à notre droite les immenses plaines marécageuses. Nous étions allongés, pressés étroitement contre le sol. J'appuyais ma tête contre la terre, autant que le casque en fer pouvait me le permettre. Et même si je suis né à la campagne, jamais je n'ai vu grain de terre d'aussi près et de si grande taille. « Ma terre bien-aimée, toi qui fus ma mère, pensais-je, ouvre-toi juste un peu et prends-moi dans tes entrailles. » Ça devait ressembler à une prière. Mais les obus s'acharnaient à exploser autour de nous, on aurait pu croire que la terre elle-même voulait se fendre en deux jusqu'à ce que la mort achève son œuvre. Ce sont des minutes qui se sont imprimées au fer rouge dans ma mémoire.

Finalement l'orage de feu et de fer a pris fin aussi soudainement qu'il avait commencé. Nous nous sommes levés, abasourdis, et avons couru le long de la rue étroite. N'y avait-il pas eu de blessés ? Le seul fait que nous soyons vivants relevait du miracle. Mais arrivés à un croisement d'où partait une large route vers l'est il y avait un camarade recroquevillé sur lui-même, allongé sur le côté, au milieu de la rue. Il était mort lors du feu roulant des grenades ; il était aussi jeune que nous. Passant devant lui j'ai vu une mouche grimper sur son casque ; un ruisselet de sang s'effilait lentement dans la poussière de la route. Le soleil s'efforçait de darder ses rayons sur le mort mais ces derniers restaient incapables de le ramener à la vie. Nous avons repris la route, silencieux et abattus ; nous n'avons même pas trouvé le temps de lui creuser une tombe fraîche.

Ach, assis dans le hangar, blanc comme neige, était adossé au mur. Sa main droite avait été coupée proprement par un éclat d'obus et elle était restée introuvable, s'était soi-disant envolée.

J'étais toujours recroquevillé dans le dernier coin de mon trou. À droite, à gauche, devant, derrière, partout les obus tombaient. Ne plus penser, fermer les yeux et enfoncer les doigts dans les oreilles pour étouffer la peur qui nous attrape la gorge à chaque déflagration. Le remblai vacillait et je croyais que tout était fini. Lorsque enfin tout cela s'est arrêté, je vivais encore.

Fritz Mahr ▬

* *

Oskar Vollert a 17 ans en 1944. Il est fantassin dans la 352ᵉ division de la Wehrmacht. Après la guerre il remaniera son carnet de route et de poèmes en y rajoutant les détails qu'il n'avait pas eu le temps d'y consigner dans le feu de l'action...

Soudainement je sens un coup et quelque chose de brûlant traverse mon corps. Je m'écroule. Le camarade Wiremski qui est à mes côtés : « Oskar, qu'est-ce qui se passe ? » Je dis : « Je ne peux plus avancer. Mon dos. » Il dit : « Tu saignes à la gorge, on dirait une éraflure. » Nous roulons ensemble dans le ravin. Il me met un pansement provisoire et hèle en vain un brancardier. Alors quelqu'un crie : « Reculons ! Les panzers des alliés avancent droit sur nous ! » Le camarade ajoute : « Viens, on fout le camp. » Il est 6 heures du soir mais je suis incapable de bouger tellement j'ai mal. J'ai presque perdu connaissance. Wiremski prend ma précieuse mitraillette et promet : « Quand il fera noir, je reviendrai te chercher. » Je suis seul dans ce no man's land. Autour de moi se déchaîne un vacarme assourdissant mêlé à des cris.

Rassemblant mes dernières forces et poignardé par d'abominables douleurs, j'enlève mon ceinturon et pose ma tête sur le paquetage d'assaut. J'attends la balle qui mettra fin à mes douleurs. Mais rien n'arrive. Tout ce que je peux faire, c'est prier. Je souffre trop pour essayer de retrouver mes camarades. Je perds mes forces. Je m'évanouis. Deux heures plus tard je reprends connaissance. Mes douleurs sont un peu calmées. Je ne peux plus bouger mon bras droit. L'ennemi tire maintenant avec des obus fumigènes et bientôt j'aperçois les premiers casques anglais. Ils voient que je suis blessé. Mais ils ont à faire ailleurs. À ma droite, j'entendais un bruit de chenilles. J'entends les hurlements d'un Anglais touché. À côté de moi, l'un d'eux vient d'être blessé. Ses camarades n'ont pas le temps de s'occuper de lui. Après s'être bandé lui-même la jambe, il partage une tablette de chocolat avec moi et m'offre des cigarettes. Il essaye d'échanger quelques mots avec moi mais je ne le comprends pas. La bataille se déplace vers l'intérieur du pays et les bruits se calment. Il commence à faire jour. Des brancardiers anglais viennent ramasser les blessés...

Oskar Vollert ▬

* *

Samedi 5 août

On parle, en se comprenant plus ou moins bien d'ailleurs, mais peu importe ! Les Américains distribuent des cigarettes, des Camel, qui sentent le miel et tout le monde fume... Personnellement, c'est ma première cigarette et je trouve ça bien... comme tout le monde. Mais, à la vérité, je préfère le chocolat !

Chacun de nous se bourre de bonbons et nous admirons l'emballage en cire des rations alimentaires. Les hommes, eux, ne tarissent pas d'éloges sur les aspects fonctionnels de l'uniforme américain : souplesse des chaussures, aisance dans le blouson, poches bien placées... et les armes ! Autrement plus efficaces et légères que celles de 1940 !

Hélène Bréhier ▌ ▌

* *

Marcel Wajemus a 24 ans. Ayant rejoint l'armée de Leclerc et la 2ᵉ DB au Maroc en novembre 1943 après neuf mois de galère et de prisons diverses, il débarque le 6 août 1944 en pleine bataille de Normandie.

7 août

Nous repartons à 3 heures et faisons notre entrée au Mans. Nous étions les premiers Français et les gens nous prenaient pour des Américains. Quel accueil et quel enthousiasme ! Les camions sont couverts de fleurs que nous lance la population. La foule coupe la route et se précipite sur l'auto-canon. Tout le monde veut nous serrer la main et nous embrasser. Dix ou vingt mains me secouent le bras. Les parents me tendent leurs enfants à embrasser. Partout on entend : « Merci d'être venus nous délivrer. Bravo, les gars. » Ma réaction est simple : je pleure comme un gosse, car tout est si émouvant, si sincère. Heureusement que j'ai mes lunettes contre le soleil, qui cachent mes larmes, car cela ne serait pas beau de voir pleurer un « dur ».

Marcel Wajemus ▊ ▊

* *

Marcelle vient d'avoir 18 ans... Sa mère est couturière et son père marin. Ils ont cinq enfants. En ce 8 août 1944, la bataille de Normandie n'est pas finie mais les Américains cernent Brest. Dans le village de Plouvien, les belligérants vont s'affronter et les civils vont être victimes de l'affolement des troupes allemandes...

Je viens d'avoir 18 ans. Nous nous mettons à table, en famille, vers 12 heures. Le menu : pommes de terre à l'eau, un peu de lait. Il fait beau, très chaud. Nous sommes heureux, sans crainte, étant libérés depuis la veille par l'armée américaine. Elle arrive de Normandie. Ses soldats ont encerclé Brest, de très près. Ils n'ont pas laissé de troupes dans la commune. Des coups de feu tirés au bourg nous ont alertés. Mon père décide vite de rejoindre l'abri construit, un peu par jeu, par les garçons de la rue, dans le champ des Ménec, derrière chez nous. Le repas reste sur la table. Ma tante Lise, mon oncle François, ma cousine Annie (10 ans) nous suivent, ainsi qu'une partie de la famille Ménec – autres proches cousins – et Jean Parcheminou (16 ans).

Vers 13 heures, bruits de bottes sur le toit de l'abri. La fusillade se rapproche. Les Allemands ont découvert notre cachette. Une voix hurle : « Sortez tous !! *Schnell. Heraus !!* Ou je jette les grenades. » Personne ne veut sortir. Nous sommes terrorisés, tétanisés... Au bout de quelques secondes (une éternité) mon oncle François dit : « Ils ne nous feront pas de mal, nous ne sommes pas armés ! » Il sort, les bras levés. Je le suis. Ils l'abattent devant moi, à coups de fusil. Tout autour de notre refuge, le long des clôtures des jardins, des soldats verts, accroupis, casqués, les yeux hagards, muets, leurs fusils droits dans les mains.

Je ne sais plus qui est sorti après moi. Terrifiée, je file me cacher dans la maison située entre celle de mon oncle et celle du commerce Coant. Blottie au pied de l'escalier, en chemisier blanc, jupe rose, pieds nus, mon chapelet de communion autour du cou, je débite des « Je vous salue Marie », des « Notre Père qui êtes aux cieux », sans m'arrêter. J'entends, au travers de la porte donnant sur le jardin, mon oncle râler, gémir de douleur. Soudain, hurlements, tirs dans la rue : « *Feuer in alles Hause !* » Je comprends qu'« ils » vont mettre le feu. Je sors côté jardin, préférant être tuée d'une balle que de brûler vive. Je cours vers mon oncle. Il est allongé sur le dos, dans l'herbe inondée de sang, geint doucement : « Lise !... Lise !... » Sa femme. Elle est là, s'agenouille près de lui. Un peu plus loin, Jean, mon copain, mort. Les Allemands ne bougent pas, silencieux, impassibles en apparence. L'un se lève, hystérique, s'approche de moi, puis de mon oncle, lui tire une balle à bout portant en plein front, achevant le blessé. Ma tante après le meurtre doit dire que « Les Allemands sont bons »... À cet instant j'ai une crise nerveuse, un soldat essaye de me calmer, me prend contre lui, me cajole. Je m'échappe encore. Je vole. Je fuis. Je me dissimule dans les W-C de la boulangerie. Ma frayeur est violente. Je m'apprête à descendre dans la fosse d'aisances, soulevant le couvercle de bois. À ce moment, un sous-officier (il a des galons « argent »), son revolver à la main, me fait sortir calmement, gentiment. Il parle français...

Je vois passer « Tantic », cousine de ma mère. Elle court. Elle me semble complètement folle. Ne dit rien. Disparaît. Puis ma mère : elle ne me remarque pas. Disparaît aussi. Je n'ai plus la notion de l'heure. Le militaire (il a la quarantaine) me caresse les joues, les cheveux. Je reprends confiance. Le calme s'installe. Mon frère est toujours chez son patron. De la cour Bothorel, on voit la fumée, les flammes surgir des toits des maisons Mao et Bihan. Près de l'atelier de menuiserie. Le sous-officier me tient par les épaules. Nous partons chercher Francis. Il creuse une tombe avec Arsène, pour un soldat mort. J'ai cru que c'était la sienne. Les Allemands discutent. Nous revenons tous trois vers le lieu du premier drame. Devant la ferme Ménec, le tas de foin finit de se consumer. Ce tas de foin, dans lequel les garçons avaient fait une grande niche, servait de cachette à mon autre cousine, Thérèse, ses frères et sœurs, sa grand-mère. Une rafale de mitraillette est tirée dans l'ouverture, mal dissimulée. Thérèse, blessée à la jambe, réussit à évacuer tout le monde, sauf Janine (4 ans) qui sera carbonisée.

Tantic (Mme Ménec) recherchera les ossements de sa petite ; les placera dans une boîte de biscuits. Je l'aiderai. Nous ne parlerons pas.

Thérèse a 15 ans. Elle sera amputée, appareillée. Dans la cuisine de la maison, les Allemands ont entassé des fagots de bois, mis le feu. Je les sors secondée par d'autres soldats. Il doit être 15 heures. La ferme est sauvée.

Les soldats et moi ramenons le corps de mon oncle chez lui. Jean, mon camarade d'école, dans le chemin du Prat, sur l'herbe, contre le mur de notre jardin, près de la porte. Il doit être 16 heures. Il fait très chaud. Le soleil éblouit. Les mouches s'acharnent sur les visages, sur les blessures des morts. Ils sont couverts d'œufs blanchâtres, rougis de sang qui vire au noir. Image cruelle en ma mémoire. La plus pénible. Une bassine d'eau, des serviettes. Je les lave, prends deux draps dans l'armoire de ma tante. Je les ensevelis. Les Allemands me disent : « Vous êtes une petite Française courageuse », en me regardant laver les morts. Je pense que ce n'est pas du courage.

Marcelle Vour'ch ▌▐

* *

13 août

À la nuit tombée, alors que je somnole dans ma tranchée, je suis réveillé par le bruit de chars Churchill qui grondent et cliquettent devant moi, et soudainement j'entends un bruit terrifiant : je jette un coup d'œil en dehors de la tranchée et j'aperçois un char Churchill qui émerge de l'obscurité et qui va me passer dessus. La terreur me fait faire un bond fantastique qui me permet de m'extraire de la tranchée au moment où il s'y engouffre. Mon sac est resté sur le rebord de la tranchée. Il est écrasé ; ma gourde est laminée et une grenade restée dans l'une des poches est écrabouillée...

Leslie F. Roker ⌗

14 août

Toujours l'attaque. Ça va bien, nous nous préparons à faire une avance de quelques milles. Le ciel se couvre d'avions anglais. Pas un soldat ne songe à regagner sa tranchée, car l'aviation est là, sans doute pour protéger les Alliés et leur prêter main-forte. Au tour des Anglais et des Canadiens d'avoir une méprise. Ce n'est pas rose pour ceux qui la subissent. À notre grande surprise, les trappes s'ouvrent et... désastre... les projectiles des Alliés pleuvent sur nous. Tantôt ils bombardent quelques arpents en arrière de nous. Cernés par le feu de la DCA, que pouvons-nous penser ? Cette vue est de nature à nous démoraliser. Pendant deux heures, je me « renfrogne » au fond de ma tranchée, invoquant les saints qui me semblent les plus puissants. Le malheur n'est pas directement sur notre régiment. Seulement quelques hommes perdent la vie. Un régiment de l'ouest, placé à quelques arpents du nôtre et un escadron d'infanterie sont fauchés et subissent des pertes de cinquante à cent hommes. Les pertes allemandes sont tout aussi considérables. Comment décrire une telle panique ?... Des Allemands s'aventurent dans nos rangs, cherchant un abri. D'autres se livrent comme prisonniers. Une fois encore, j'ai cru ma dernière heure arrivée. Une pensée envahit mon esprit : « Je dormirai sur le sol français mon dernier sommeil. » Le bombardement est terminé. Je suis vivant, mais autour de moi, que vois-je ? Des compagnons blessés, d'autres, fous de peur, d'autres morts, puis ces débris et des ruines.

Jean-Paul Gagnon 🍁

* *

14 août

Je suis dans une tranchée située en première ligne, avec un jeune bleu du nom de McPike, quand nous voyons un soldat vêtu d'un uniforme anglais courant vers nous en agitant un torchon blanc... Nous ouvrons le feu pour le couvrir et je me précipite hors de la tranchée pour venir à son aide. À ce moment précis, un obus de mortier éclate à mes pieds... Je vois un flash jaune et rouge. Je m'envole et vais m'écraser au fond de la tranchée. Le sol est malheureusement boueux, et le souffle de l'explosion a déferlé en hauteur. Mes yeux me font mal et je ne vois plus rien. La douleur est très vive. J'entends McPike hurler que son bras a été pulvérisé.

Leslie F. Roker 🇬🇧

* *

Je préfère risquer ma vie pour mon pays et mourir loin du sol natal, car je n'aime pas à jouer le rôle de déserteur. Je me souviens que le courage, c'est « la peur vaincue » tandis que la lâcheté, c'est « la peur consentie »... Pour nous encourager, les chefs nous disent : « 75 % de nos hommes dormiront peut-être leur dernier sommeil sur le sol français, mais leur devoir accompli aura contribué à libérer le peuple de la horde hitlérienne. »

Jean-Paul Gagnon 🇨🇦

* *

Nous sympathisons assez facilement avec les enfants et il nous arrive parfois de rencontrer des Français et même des écoliers parlant anglais. L'une des grandes difficultés que nous rencontrons, c'est d'arriver à bien identifier les traîtres parmi les Français... Il y en a tout de même un certain nombre et il n'est pas évident de les distinguer de ceux qui se sont bien conduits... En dehors de ceux que nous connaissons personnellement, nous n'osons faire confiance à personne... Les enfants pigent très vite et en un rien de temps, ils se sont mis à nous réclamer des friandises... Certains parmi eux ont appris l'anglais sur les bancs de l'école. Nous avons bien sûr appris quelques mots de français, mais nous nous exprimons surtout par gestes... Nous avons été dotés d'un petit lexique avec des phrases et des expressions américaines sur la gauche, la prononciation phonétique du français au milieu, et la traduction en français sur la droite. Nous n'avons plus qu'à trouver la phrase dont nous avons besoin et nous la désignons du doigt... Les Français lisent la traduction en français et savent alors ce que nous voulons... Cela te semblera comique mais beaucoup parmi eux ne se séparent plus de ce petit livre... Les Français ont creusé des trous pour certains de nos fantassins quand nous sommes arrivés. Ils font tout ce qu'ils peuvent, mais ils manquent de tout. Cette partie de la France regorge de vergers, de pommiers et de somptueuses vaches laitières. Les gens font pousser du froment et de l'avoine, mais pas de blé. Il faudra des années pour qu'ils puissent revivre normalement. Ils sont tous affamés et pauvrement vêtus. Si l'on tient compte des quatre ans d'occupation, ils paraissent mieux logés que les Anglais, mais les Allemands ont occupé leurs logis et ont vécu sur leur dos...

Lloyd D. Lane

* *

Les Américains marquaient d'une pancarte les tranchées où ils enterraient leurs déchets et leurs W-C avec la date de fermeture de cette tranchée pour éviter que d'autres creusent à cet endroit. Ces pancartes en forme de croix la plupart du temps pouvaient prêter à confusion avec toutes les tombes hâtivement comblées des soldats morts, et il advint qu'une brave femme de la région alla se recueillir et fleurir trois tombes qu'il y avait dans le coin de son champ et il n'y avait qu'une chose qu'elle n'arrivait pas à comprendre : c'est que ces pauvres gars portaient le même nom. Ils s'appelaient tous les trois « *Latrine closed* ».

Journal intime de Henri Bougeard, 14 ans

* *

Il y avait des soldats allemands enterrés un peu partout. Par la suite, les camions, les chars, les bulldozers bouleversèrent tant les herbages qu'on ne put en retrouver que quelques-uns quand passa la commission des sépultures.

Le jardin Boscher d'Albert Guillou, près de notre labour du carrefour, était un centre de triage des morts. Les camions arrivaient chargés de cadavres du front. Les Noirs les jetaient pêle-mêle sous les pommiers puis ensuite les identifiaient, les fouillaient, emballant les objets personnels, étiquetant paquets et cadavres qui étaient ensuite dirigés vers les cimetières allemands ou américains. Ils avaient trouvé dans une ferme abandonnée un fût de calvados et dans leur macabre besogne se réconfortaient copieusement au calvados.

Je ne sais si c'est l'un d'eux qui eut l'extraordinaire idée d'aller déterrer un des Allemands inhumés dans le Grand

Pré. Il l'assit dans un trou (30 centimètres de profondeur) et lui, assis devant lui, chantait sans doute quelque *negro spiritual*. La mère Colard qui habitait à côté courut chercher un officier. Le Noir enterra à nouveau son Allemand, mais dans de si mauvaises conditions que la tête dépassa de terre pendant plusieurs mois, jusqu'à son enlèvement définitif.

Journal intime de Henri Bougeard, 14 ans ▓ ▓

* *

Jean Lenoble a 24 ans. Originaire de Chinon, il est instituteur à Saint-Patrice, en Indre-et-Loire. La fin de la bataille de Falaise le 21 août 1944 met fin à la bataille de Normandie. À la fin du mois d'août 1944, les Américains sont au nord de la Loire, les Allemands au sud... Le bourg se « libère »... Jean tient fidèlement le journal des événements.

Cette fin d'août 1944 est quelque peu étrange. Le pays, ici, est livré à lui-même. Vichy se tait et s'enfuit. Le préfet disparaît. L'inspecteur d'académie est hors de vue. Pas de moyens normaux de communication. Aucune autorité nouvelle ne s'est encore manifestée. Ici et là, des groupes ennemis qui cherchent à se dégager. Apparition d'étranges maquisards de la dernière heure, simples pillards parfois à la semblance des grandes compagnies de jadis. Bizarre génération spontanée d'uniformes français. Un capitaine Loulou sorti on ne sait d'où, espagnol, probablement plus mac que républicain, qui vit acoquiné avec une fille revenue au pays. Un beau jour, c'est la fille du garde champêtre, superbe garce dangereuse qui a fait la noce avec des galonnés allemands, qui disparaît. Un autre jour, c'est la porte de mon secrétariat qui s'ouvre sans y être invitée. Apparaît mon prédécesseur, l'air important : « Je suis le seul officier (disons adjudant de réserve plutôt) de la commune. J'en prends le commandement ! » Je lui dis : « C'est parfait ! », l'éconduis, téléphone aux gendarmes passés aux FFI : « Venez donc cueillir B. Une petite journée en tôle lui remettra la tête en place. » Ce qui est fait. Pour nous, l'autorité, ça reste le conseil municipal et Blaveau, l'adjoint, à défaut du maire qui s'est mis en touche. En ces temps, la châtelaine cherche à prendre du poids. Elle se prétend responsable de la Croix-Rouge. On sait que les soldats allemands se tiennent sur la rive gauche de la Loire. La duchesse organise une garde sur la levée, fournit des fusils. Cette garde fait long feu ! Au château est apparu un jeune et étrange personnage, un baron autrichien, qui est l'amant de la dame. On le voit rutiler ici en uniforme d'officier de cavalerie de Saumur. On a été informés que, de l'autre côté du fleuve, il porte l'uniforme de la Wehrmacht. Son français est excellent. Un soir, il se présente à mon secrétariat, me demande je ne sais plus quel renseignement qui, je l'estime ainsi, ne le regarde pas. Je lui demande de quel droit il prétend que si. Il me sort un sauf-conduit en règle, signé de Gaulle, stipulant qu'il peut aller et venir comme il l'entend, éventuellement armé, et qu'il n'a de comptes à rendre à personne. Ça me laisse stupéfait. Je n'ai jamais eu le fin mot de l'histoire quant à son rôle, lui qui se la coule douce ici. La vie au château est assez curieuse. Les enfants de la châtelaine, jeunes garçons, s'occupent en tirant à la mitraillette sur les potiches qui ornent l'allée de l'orangerie sur les terrasses. Les balles sifflent au-dessus des toits du bourg, en contrebas, rendues presque inoffensives, certes, vu l'angle de tir. Leur gouvernante vit nue sous son peignoir ouvert... C'est ce que me relate Jeanne appelée en « consultation » pour donner des leçons de mathématiques à la fille aînée Cordélia. Les pièces dévolues aux enfants puent : ils élèvent un putois...

Jean Lenoble ▉ ▉

* *

1er septembre

Il se trouve que dans chaque village où nous arrivions, les gens venaient à nous, ayant hâte de nous prouver qu'ils avaient été FFI... Cela me rendit un peu méfiant, et je me suis mis à étudier leurs cartes de FFI avec un peu plus d'attention... Dans la plupart des cas, les gens n'avaient pris leur décision que depuis quelques mois... Il est évident qu'ils n'avaient rejoint la Résistance qu'à partir du moment où ils avaient compris que les Allemands allaient perdre la guerre...

Leslie F. Roker 🇬🇧

* *

117

Le 18 janvier 1945

Nous sommes allés hier visiter le cimetière anglais. C'est très impressionnant. Il y avait beaucoup de soldats inconnus. Il y en avait un où il y avait écrit qu'il avait donné sa vie pour les autres. C'est beau.

Décidément les grandes personnes ne comprennent pas du tout comme les enfants. Maman me dit que c'est moi qui ai eu tort, alors que je trouve que c'est elle. Quand je serai maman, je te dirai quel est le bon. Cher album, je ne comprends pas encore la vie, que c'est triste d'aimer, puis de se quitter, ma maman dont il faudra que je me sépare un jour, toi, qui me quitteras, moi qui fermerai plus tard les yeux. Comprends-tu la mort toi, quel mot terrible que je ne comprends pas. Mes animaux qui eux aussi me quitteront. Je crois nous revoir tous un jour mais si la vie nous sépare, qu'un souvenir reste en nous, comme un petit nuage blanc qui voguera sur le monde.

Jackie Landreaux ▌▌

Épilogue

Les plages ont fini par être déminées, par retrouver leur vocation première : terres de rêves, terres de jeux où l'on vient écouter le souffle de la mer.

Les enfants et les petits-enfants de ceux qui se sont battus sur le sable et plus tard entre les haies du Bocage, de ceux qui ont péri dans ce carnage ou qui lui ont survécu, ces enfants ne devraient plus ignorer que – n'en déplaise aux intégristes et aux fanatiques de tous bords – l'humanité ne s'est toujours enrichie que du brassage des peuples et des sangs, de l'agrégation des différences et des cultures...

Soixante ans : le temps minimal qu'il faut pour que se reproduisent trois générations d'hommes de 18 ans... Soixante ans après, que reste-t-il des « Jerries » et des GI's ? Que sont-ils devenus les « Frenchies » et les « Tommies » ? Les historiens eux-mêmes n'arrivent pas à compter les morts avec une grande précision... Combien de disparus sur la plage d'Omaha : mille, deux mille, trois mille ? L'imprécision des chiffres des guerres en pertes humaines prouve bien que la guerre porte toujours avec elle la honte de ses conséquences, ainsi qu'une relative désinvolture des vivants...

En allant méditer sur les 21 160 tombes du cimetière militaire de La Cambe ou sur les 9 387 croix blanches du cimetière militaire américain d'Omaha à Colleville-sur-Mer, en allant visiter ces jardins tranquilles où certains hommes dorment sans nom parce qu'ils n'ont jamais été identifiés, il convient de se demander s'il n'y a pas un certain pourcentage de soldats américains, canadiens ou anglais enterrés parmi les soldats allemands, et réciproquement : qu'ils soient venus d'outre-Atlantique, d'outre-Manche, d'outre-Rhin ou du centre de la France, les Alliés et les ennemis d'hier sont aujourd'hui unis dans la mort ou dans le souvenir...

Et lorsque les petits-enfants de ceux qui se sont battus sur les plages vont courir l'âme légère devant les vagues et sur le sable humide, on a l'illusion parfois de les voir débarquer, comme s'ils revenaient d'une campagne de pêche imaginaire...

Jean-Pierre GUÉNO

Bibliographie

Stephen E. Ambrose, *The Climactic Battle of World War II*, Simon & Schuster, 2001.

Nancy Amis, *Les Orphelines de Normandie*, éditions Circonflexe / France Bleu, 2004.

Gwenn-Aël Bolloré, *J'ai débarqué le 6 juin 1944*, Le Cherche-Midi Éditeur, 1994/ 2004.

Louis Bothorel Plouvien, *Août 1944 – Les Civils dans la guerre*, Skolig A.L. Louarn, 2003.

Tom Brokaw, *An album of Memories*, Random House, New York, 2001.

— *The Greatest Generation*, Random House, New York, 1998.

— *The Greatest Generation speaks*, Random House, New York, 1999.

Robert Capa, *Juste un peu flou*, Delpire 2003.

Jérôme Camilly, *6 juin 1944 – Le Débarquement*, Le Cherche-Midi Éditeur, 1993.

Andrew Carroll, *War letters*, Scribner, 2001.

Maurice Chauvet, *Mille et un jours pour le jour J*, Picollec, 2004.

— *Long Way to Normandy*, éditions Picollec, 2004.

Philippe Cheron, Thierry Chion et Alain Richard, *Dieppe – Opération Jubilee*, éditions Petit à Petit, 2002.

Eddy Florentin, *Stalingrad en Normandie*, Perrin, 2002.

— *Guide des plages du débarquement et de la bataille de Normandie*, Perrin / Le Mémorial de Caen, 2003.

Christian Génicot, *Normandie 1944 avec les correspondants de guerre D-Day Dispatches*, éditions Normandie Magazine, 2000.

Myles Hickey, *The Scarlet Dawn*, éditions Unipress, Canada, 1950.

Jacques Kayser, *Un journaliste sur le front de Normandie*, Arléa, 1991.

Antoine Magonette, *Le ciel est trouble*, France Éditions.

Jean-Bernard Moreau, *Le Débarquement et la bataille de Normandie*, Le Mémorial de Caen, 2002.

Claude Quétel, *La Seconde Guerre mondiale*, Le Mémorial de Caen, 2003.

Stéphane Simonet, Éric Le Peven, *Le Premier BFM commando du commandant Kieffer*, Heimdal, 2004.

Iris Carpenter, *No Woman's World*, Boston Houghton Misslin, 1946.

— *Les Français du jour J*, Le Mémorial de Caen, 2003.

Les sites internet incontournables

http://www.dday-overlord.com Marc Laurenceau a 17 ans. Il a créé le site DDay-Overlord (www.dday-overlord.com) fin 2003 afin de dédier aux vétérans alliés une sorte de monument personnel pour les sacrifices qu'ils ont accomplis.

http://www.6juin1944.com Le site de Patrick Hélie, qui réserve une place très émouvante aux témoignages de soldats et de civils impliqués dans le débarquement et dans la bataille de Normandie.

htp://www.stars-stripes.info Le site de Jean-Yves Simon en hommage à tous les correspondants de guerre.

http://www.normandie44lamemoire.com Le site de Philippe Corvé en hommage à la bataille de Normandie.

http://www.normandiememoire.com Le site officiel du 60e anniversaire du débarquement.

http://www.thedropzone.org/europe/Normandy/Normandydefault.html Des témoignages de vétérans...

http://www.memorial-caen.fr Le site du Mémorial de Caen.

htp://www.iwm.org.uk Le site de l'Imperial War Museum, Londres.

http://www.ddaymuseum.org Le site du National D Day Museum, La Nouvelle-Orléans.

http://www.archives.ca Le site des Archives nationales du Canada.

http://www.normandiememoire.com Le site de l'association Normandie Mémoire, 60e anniversaire.

http://www.archivesnormandie39-45.org Banque d'images libres de droits financée par le conseil régional de Basse-Normandie.

http://www.wpanorama.com/~remi/normandie.htm Le site de Rémi Bovard sur le Débarquement.

http://www.mairie-dieppe.fr/operationjubileedossier/jubileeweb1.html Le site de la mairie de Dieppe sur l'opération Jubilee.

Sans oublier...

http://perso.wanadoo.fr/j2.jaeger/dday.html

http://fleursdelamemoire.free.fr

http://www.dday-omaha.com

http://www.brecourtassault.com

http://membres.lycos.fr/overlord44

http://www.normandie44.net

Remerciements

L'opération « Paroles du jour J » n'aurait pas été menée à bien sans le concours du Mémorial de Caen, de son directeur Jacques Belin et de son directeur scientifique Claude Quétel qui ont mobilisé leurs équipes et leurs homologues dans le monde entier : le D-Day Museum de La Nouvelle-Orléans, la Library of Congress (The Veteran's Project), l'Eisenhower Library d'Abilene, Andrew Caroll et « The legacy project », l'Imperial War Museum de Londres, les Archives nationales du Canada, et le Haus der Geschichte Museum de Bonn. Que soient ici remerciées les équipes du Mémorial de Caen et en particulier Françoise Passera, Sophie Condamine, Christine Dejoux, Franck Marie, Christophe Prime et Stéphane Simonet.

« Paroles du jour J » doit beaucoup à la collaboration de Radio Canada et de Suzanne Saint-Pierre, de Françoise Dost Directrice des Radios francophones publiques, ainsi qu'à la compétence de l'équipe de radiofrance.fr, de son directeur Pascal Delannoy, de ses adjoints Thierry Bourgeon et Éric Duval-Valachs, et de toute leur équipe. Elle n'aurait jamais pu avoir été réalisée sans le concours des Ateliers de création des Locales de France BLEU et de leur directeur, Yves Laplume, de Gérard Coudert, responsable de l'Atelier France BLEU Grand Ouest, des radios locales de France BLEU, et de leurs directeurs Michel Meyer et Marc Garcia, de France Info et de son directeur Michel Polacco, de France Inter, de France Culture, de France Musiques, et du Mouv' qui ont relayé les appels de Radio France.

Comme les autres livres de cette série, cet ouvrage doit toujours autant à Laurent Beccaria, Jérôme Pecnard, Jean-Baptiste Bourrat, Laurence Corona, Emmanuelle Vial, Chantal Rey et Carole Leray.

« Paroles du jour J » a été développé avec le relais et l'aide bienveillante de Marc Laurenceau, créateur du site internet http://www.dday-overlord.com, de Patrick Hélie, créateur du site internet http://www.6juin1944.com, et de Éric Le Peven pour les documents concernant Marcel Labas.

L'opération a été menée en partenariat avec le festival de la Correspondance de Grignan. Elle est avant tout le fruit de l'aide et de la compréhension qui furent celles de l'ensemble des auditeurs de Radio France et de l'ensemble des familles de civils normands et de soldats américains, canadiens, anglais, français et allemands qui nous ont envoyé des lettres, des journaux intimes et des témoignages.

Radio France Multimédia continue sa collecte de lettres, de journaux intimes et de documents liés au Débarquement et à la bataille de Normandie : connectez-vous sur

radiofrance.fr. rubrique « un été 44 »

Le Mémorial de Caen

Inauguré en 1988, le Mémorial de Caen est un grand musée moderne consacré à l'histoire du xxᵉ siècle. S'appuyant sur une scénographie innovante et chargée d'émotion, il propose un voyage historique et une réflexion sur l'avenir de la planète à travers trois espaces muséographiques : la Seconde Guerre mondiale, la Guerre froide et des Mondes pour la Paix. Chaque année, il interpelle 500 000 visiteurs sur la fragilité de la Paix et des Droits de l'Homme.

http://www.memorial-caen.fr/

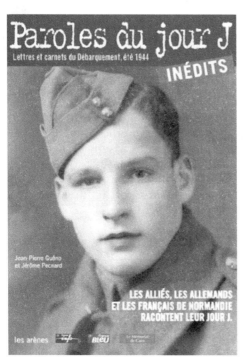

Paroles du Jour J
Jean-Pierre Guéno, Jérôme Pecnard
Éditions des Arènes, France Info, France BLEU, Mémorial de Caen
Prix de vente : 29,9 euros
Le livre illustré de *Paroles du jour J* : photos de famille, objets personnels, lettres manuscrites, journaux intimes : les souvenirs des auteurs des documents publiés.

Paroles du Jour J
Double CD, collection Écouter Lire
Éditions Gallimard, France Info, France BLEU, Mémorial de Caen
Prix de vente : 18 euros
Les plus beaux textes de *Paroles du Jour J* lus par de grands acteurs : Pierre Santini, Jean-Paul Bordes, Nathalie Cerda, Olivier Chauvel, Thibault de Montalembert, Yves Pignot et Garance Wester.

Table des matières

634

Composition PCA – 44400 Rezé
Achevé d'imprimer en Allemagne (Pössneck) par GGP
en juin 2004 pour le compte de E.J.L.
84, rue de Grenelle, 75007 Paris
Dépôt légal avril 2004

Diffusion France et étranger : Flammarion